新潮文庫

幻《まぼろ》世《よ》の祈り

家族狩り

第一部

天童荒太著

幻世《まぼろよ》の祈り

家族狩り　第一部

「もしもし、思春期心の悩み電話相談です」

「あ、本当にかかっちゃった」

「こんにちは。今日はとってもいいお天気ですねえ。お電話くださって、ありがとうございます」

「いえ、あの……」

「どんな、お悩みかしら。なんでもいいんですよ、思いついたことから話してください」

「えっと……人は、どうして憎み合うんですか。どうしてひどいこと、平気でやり合うんですか」

「大きい問題ね。いまあなたが一番苦しんでいることかしら」

「ばーか、まじな声を出してんじゃねえよ」

＊

「はい、こんにちは。思春期心の悩み電話相談です」

「ちょっと聞きたいんだけど」

「ええ、どうぞ」

「生きる意味って、何」

「つまり、あなたは、生きてゆくことに意味が見いだせなくて、悩んでらっしゃるのね」

「べつに。いまこうしてることに、なんか意味あんのかって聞いただけ」

「そう。でも、ずいぶん重くて、深い質問よねぇ。単純にこれこれって言い切れない、いろんな答えがあると思うの。一緒に考えてみない」

「答えを言えばいいじゃん」

「わたしの答えを安直に聞いても、納得できないんじゃないかしら。生きる意味とか、人生とか家族のこと……いわゆる人にとって重要な問題は、まず自分で考え、悩むことが大事だと思うの」

「そういうのが面倒だから聞いてんだろ。時間のむだだよ」

「わたし自身もよく考えたいことだから、一緒に話し合いましょうよ。ねえ。聞いてらっしゃる？」

＊

「こんばんは。思春期心の悩み電話相談です。今夜は、たくさん流れ星が見えるそうですよ」

「……夜分遅く、すみません」

「気になさらないでください。どうなさいました」

「息子が……」

「はい？　もう少し声を大きくしてくださるかしら、お声が遠くて」

「息子に聞こえると……」

「そのくらいなら聞こえます。ええ、息子さんがどうなさったんですか」

「いいんです、やっぱり。すみませんでした。どうかしてたんです」

「落ち着いてください。電話で話すくらい、いいじゃありませんか。どうされました」

「だめです、こんなことがわかったら、あとでとんでもないことになります」

「とんでもないって、どういうことです」

「つらいんです。つらいことになって……いい子だったんですよ、とっても優しい子だったんです。なのに、急にどうして……わたしが悪かったんでしょうか」

「ご自分を責めないでください。くわしく話していただけますか」

「どうして、わたしたちだけが、こんな目にあうんでしょう。周りと違ったことなんて、何ひとつしてません。むしろ、周りにいつも合わせてきたくらいなのに……。あっ、降りてきます。見つかったら大変なので、もう切ります」

「お待ちください、もう少し」

「すみません、本当に切らないと」

「もう一度おかけになってください。ね、きっとですよ。もしもし、もしもし、もしもし……」

【二〇〇三年　四月二十七日（日）】

東京、新宿区の落合付近にある小さな公園の八重桜が満開だった。

厚く重なり合った花びらが、街灯の光で、幻想的な色合いに浮かび上がっている。

赤信号でタクシーが公園脇《わき》に止まり、タイミングよく車内からも鑑賞できた。

氷崎游子《ひざきゆうこ》はしかし八重桜が好きではない。淡白なソメイヨシノに比べ、ほぼ一ヵ月遅れで満開となる花は、濃厚で、複合的な美を感じさせる一方、美を無秩序に集め過ぎて、毒々しい肉腫《にくしゅ》のように見えてしまう。

「今夜が最後の見頃ですね。明日には散ってしまうでしょう」

タクシーの運転手が言った。

今日は一日中曇っていたが、夜になって冷たい風が吹きはじめ、じきに雨になると予報が出ている。

信号が青に変わった。後続車がないため、高齢の運転手は気をきかせたつもりか、すぐには車を出そうとしない。

游子は、身を乗り出して、

「急いでいただけます」とうながした。

車が発進した。同じ姿勢のまま、フロントガラス越しに、夜の住宅地を見つめる。以前昼間に一度だけ訪れたことがあるが、似たような細い道とカーブがつづき、いまどのあたりにいるか見きわめがつかない。

彼女は、焦《あせ》りもあって、

「やはり警察に連絡すべきじゃないですか」

隣に座っている、ひと回り以上年上の奥浦という男に言った。

「どうかなぁ。向こうで、してるでしょ」

奥浦は、東京都の児童相談センターに勤める、児童福祉司だった。もともと児童問題の専門家というわけではなく、都の職員として、保健や福祉方面の仕事を担当したのち、今年度から児童福祉司として配属されてきた。四十代後半らしいが、白髪が多く、十歳以上老《ふ》けて見える。

「念のために、こちらからも連絡しておいたほうがよいと思います」

游子はもう一度勧めた。彼女は、同じ児童相談センターで心理職員として働いていた。先日三十歳になったばかりだが、大学時代から児童心理学を学んできて、児童相談所関係の仕事ももう七年目になる。

「でも二重の出動になって、あとで、こちらが叱《しか》られてもねえ……きっと連絡してますよ。酔って暴れてるっていうんだから」

奥浦が面倒くさそうに言った。

相談の対象となる問題家庭や学校などへは、原則として児童福祉司が訪問することになっている。虐待《ぎゃくたい》があるなど、児童の精神的ケアが必要と考えられる場合は、心理の専門家が同行することも少なくない。そのため現場処理の経験は、奥浦より、游子のほうが豊富だった。ただし現場の責任者はあくまで児童福祉司であるため、奥浦の意向を、游子もできるだけ尊重しなければならない。

「二重出動になっても、謝ればすみます。大切なのは、当事者の安全だと思います」

「しかし、我々も状況がわかりませんしね……確かめてからにしましょう」

「……そうですか」

游子は、仕方なく自分の携帯電話を出し、番号を押した。

「あ、氷崎さん、だめですよ」

奥浦が慌《あわ》てて止めようとする。

「一時保護所にです」

ほどなく電話に出た宿直の保母は、游子とは年齢も近く、気心が知れていた。

「ひとり、緊急に保護しても、大丈夫？」

危機的な状況にある児童を一時的に保護する施設は、常に満員で、新たに児童を収容する余裕はほとんどなかった。それでも緊急時には、職員のベッドを空けるなどして、規則を少し逸脱した形で対応している。

「どうしても保護が必要なんですか」

二歳年下の保母が訊《き》き返す。

「そうならなきゃ、一番いいんだけど」

「游子さん、お休みだったのに大変ですね」

「毎度のことだから」

この日、児童相談センターは休館だったが、一時保護所だけは、子どもを預かっているため閉めるわけにいかない。游子も休日だったが、気になっていた児童の心理相談のため、いわゆるサービス出勤をしていた。彼女が、プレイルームで子どもたちと遊びながら心理面のケアをし、つい遅くなって八時頃に本棟の事務室に戻ったとき、ちょうど宿直当番だった奥浦が、外から掛かった電話を受けていた。

落合にあるアパートの住民からの通報だった。隣の部屋で、男性が酒に酔って暴れ、子どもが泣いているという。くわしく訊くと、去年十一月、奥浦の前任の児童福祉司が担当した親子だった。八歳の少女への虐待が疑われ、小学校からの通報で児童相談センターが介入した。游子もその少女と一度だけ会っている。無口で、感情をあまり表にあらわさない子だった。

「住所で言うと、この辺なんですけどねえ……」

タクシーの運転手が、車のスピードをゆるめた。

うろ覚えだが家々の並びに記憶があり、

「いいです、ここで」

游子が答えた。車が止まり、彼女とは反対側のドアが開く。児童相談センターの車は、駐車場が確保できないという理由で、今回は使われなかった。奥浦が、端数《はすう》もきちんと払おうとして、小銭を床に落とした。游子は、時間がもったいなく思え、

「先にすみません」

自分の側のドアを勝手に開き、外へ出た。

「氷崎さん、部屋の前で待っててくださいよ」

奥浦の声が追ってきた。聞き流して、暗い路地を小走りに進んでゆく。彼女の左膝《ひだりひざ》には、ボルトが入っていた。ずいぶん古いもので、長年のリハビリと慣れのおかげで、

少し引きずりはするが、いまは健常者とほとんど変わらない速さで動ける。

彼女は、ジーンズにシャツ、ブレザーを着て、運動に適した軽快なシューズをはいていた。どれも汚れてもいい安物ばかりだ。髪はショートに切り、化粧も基礎的なものしか使っていない。

家々を見回すうちに記憶がよみがえり、路地をまたひとつ曲がって、古いアパートの前で止まった。中年の女性が二人、道路からアパートの二階を見上げている。

「児童相談センターの者です」

游子は名乗った。

「遅いじゃない」

女性の一人が言った。連絡をしたのは彼女だった。去年の介入時に、また何かあったときにはぜひ連絡してほしいと、前任の児童福祉司が頼んでいた。

問題の男性の名は、駒田《こまだ》という。通報した女性の話によれば、三日前、駒田は勤めていた電気設備会社をクビになっていた。アルバイトだったため、失業保険も下りず、しばらく控えていた酒を、今日また飲みはじめたらしい。七時過ぎに、部屋から意味不明の叫び声がして、やがて少女の泣き声が聞こえてきた。一時間ほど前には、何かが割れる音がし、子どもの声もひどくなったため、住民同士で話し合い、児童相談センターに連絡をとったということだった。

「警察にも連絡されましたか?」

「いえ……してないけど」

相手は怪訝《けげん》そうな表情を浮かべた。「あなたたちに判断してもらったほうがいいでしょ。あとで妙な言いがかりをつけられても、いやだし」

「でも、女の子は泣いていたのでしょう。そうした場合、どなたでもまず警察に通報してくださいという法律ができたんです」

「あとで何かされても困るじゃない。八つ当たりで刺されたりする事件、けっこう多いわよ。いざってとき誰が守ってくれんの。だからさぁ、ほら、おたくへ連絡したのも黙っててほしいのよ」

二階の部屋から、陶器か何かが割れる音がした。すさんだ印象の男の声も聞こえる。

「すぐ後ろから男性職員が来ます。警察へ連絡するように言ってください」

游子は、女性たちに言って、アパートの外階段をのぼった。

酒が入っていないときの駒田は、おとなしく臆病《おくびょう》で、子どもに優しい父親だった。

彼の妻は、娘が四歳のときに家を出て、以後ずっと彼が娘を育てている。だがいったん酒が入ると性格が豹変《ひょうへん》し、四年前と二年前の二度、軽いものだが、傷害事件を起こしていた。職場ではトラブルが絶えず、游子たちが介入した当時も、仕事への不満から酒を飲み、娘に手を上げたのだった。

その際、彼は虐待の事実を否認し、二度と酒は飲まないと、ひたすら頭を下げた。娘も父親をかばい、「わたしが悪い子だったから」と、自分を責める発言を繰り返した。児相センターでの処遇会議において、游子だけが娘の保護を主張した。一時保護所が満員だったことと、駒田の反省を信じる声が多く出て、娘は彼のもとへ返された。

一ヵ月後の昨年暮れ、游子は児童福祉司とともにアパートを訪れ、駒田の生活状況を確認した。彼は実際に酒をやめた様子で、新しい仕事につき、娘も学校に通わせていた。ひとまず安堵《あんど》し、游子も日々の慌ただしさのなかに、彼らのことを忘れかけていたところだった。

游子は、部屋の前に立ち、なかの様子をうかがいながら、ゆっくりドアをノックした。

「駒田さん……駒田さん」

「うるせえ、誰だ」

ろれつの怪しい声が返ってきた。子どものしゃくり上げるような息づかいも聞こえる。

「児童相談センターの者です。駒田さん、開けますよ」

游子はドアを引いた。鍵《かぎ》は掛かっていなかった。すえた汗と酒が混じったような、いやな臭《にお》いが鼻をつく。

「なんだ、てめえはぁ」

台所の奥の部屋に、四十前後の男があぐらをかいて座っていた。酒の一升瓶を抱え、足もとにコップが置いてある。男は、小柄で、頭髪は薄く、目は垂れ気味で一見優しげな顔をしている。それが不精髭《ぶしようひげ》を伸ばし、目のすわった不遜《ふそん》な表情で、こちらを睨《にら》んでいた。

「こんばんは。突然おじゃまして申し訳ありません。児童相談センターの氷崎です」

游子は、名乗りながら、目で少女を探した。部屋の一番奥に、顔を両手でおおった少女の姿があった。

「駒田さん、覚えてらっしゃいませんか」

少女の様子を確認しながら、去年の暮れにも訪問したことを相手に告げた。

駒田は、理解していないのか、表情をほとんど変えずに、

「なんでもいいから、早いとこクソ女房を連れてこい。あの女に両手をつかせて謝らせろ」と言う。

少女が顔を上げようとしないのが気になり、

「すみません、上がらせていただきます」

游子は、返事もきかずに靴を脱ぎ、部屋に上がった。駒田が口のなかで何やら文句を言ったようだが、あえて聞こえないふりをして、少女の前まで進み、

「大丈夫？　どこか痛い」

彼女と同じ目の高さになって訊ねた。

少女の長い髪は、荒れて、つやがなかった。白いトレーナーと赤いスカートを着ているが、どちらも色があせ、染《し》みだらけだ。素足が寒そうで、指の股《また》には汚れがたまっている。足もとには、割れた皿の破片が散っていた。

游子は、少女の顔をのぞきこんだ。細い指の隙間《すきま》、額のあたりに赤い色が見える。

「大変、血が出てるんじゃない？」

少女に少しだけ手を下ろさせた。額に何かが当たって、切れたらしい。大きい怪我《けが》ではないが、血は鼻のあたりまで流れている。游子はハンカチを出し、傷口にあてた。

「何を勝手なことやってんだ、てめえ」

駒田が荒々しい声を発した。

「駒田さん。娘さんが怪我してます、すぐに手当てをしないと」

「うるせえ、てめえに関係あるかよ」

駒田がコップを投げた。危うくコップは游子をそれ、壁に当たって割れた。

玄関のほうから、あれ、いないよと、のんびりした声がして、

「氷崎さん、待っててって言ったでしょ」

ドアのところに奥浦が現れた。

「警察に連絡していただけましたか」

游子は彼に言った。

「あ、ええ。一応しましたけど……」

駒田がそれを聞いて、玄関のほうへ向き直った。

「てめえ、何をしただとっ」

「女の子の額から、血が出てます」

游子はわざと奥浦のほうへ報告した。

駒田が、やや狼狽《ろうばい》した顔で游子を振り返り、

「嘘《うそ》だ。皿が、ちょっと壁にぶつかって、その破片が当たったんだ。大したことはないはずだ」

「血が出るほどの怪我をさせて、大したことないとはどういう意味ですか」

「だから、たまたまだと言ってるだろ。誰が可愛《かわい》いわが子に、好きで怪我をさせるかよ。玲子《れいこ》、ちょっとこっち来い、おい玲子っ」

少女が、からだをふるわせて立ち上がり、父親のほうに歩いていこうとする。

游子は彼女を抱き止めた。駒田を睨みつけ、

「保護します」と告げた。

「ばかなこと言ってんじゃねえぞ」

駒田がおぼつかない足取りで歩み寄ってくる。

「あの、ちょっと、乱暴はやめませんか」

奥浦が玄関のところから言った。彼の背後には、先の女性たちの姿も見られる。

駒田も、それを見たのか、今度は玄関のほうへ向かってゆき、

「てめえらが、こいつらを呼んだのか。つまらねえ真似《まね》しやがって。全員ぶっ殺してやる。アパートにガソリンぶっかけて、火ぃつけてやるぞ」

と、飛びかかるような恰好《かっこう》を見せた。奥浦たちが慌《あわ》ててよけ、駒田は玄関から廊下へ転がり出た。彼は、そのまま廊下に横になり、悪態を吐きつづけた。

游子は、少女を座らせ、あらためて傷を確かめた。血はもう止まっている。

「痛む?」

少女は首を横に振った。

ほどなく近くの交番からだろう、二人の制服警官が現れた。駒田は、警官の前に立ったとたん、おとなしくなった。

游子は、室内に残り、少女に付き添った。彼女からも見える玄関のすぐ外で、駒田への事情聴取がおこなわれた。警官の背後には奥浦が立ち、さらに後ろにアパートの住人たちが立っている。

駒田は、警官に対して何度も同じ話を、最後には涙まで浮かべて話していた。

「だから、全部、女房のせいです。あいつがオトコを作って出てってから、おかしくなったんですよ。男手ひとつで、小さい子を育てんのが、どれだけ大変か、わかりますか。残業もできない、子どもが熱を出しゃ、休まなきゃいけない。会社はそんな面倒な奴《やつ》はいらねえと言う。母子家庭には出る扶養手当が、父親だと出ねえし。酒でも飲みたくなるのが人情でしょ。今日だって、仕事がうまくいかねえもんで、ちょっと酒が過ぎただけなんだ。ふらついた拍子に皿が割れて、破片が娘の額にちょこんと当たった……それを、こいつらが大騒ぎしやがって。旦那《だんな》方に来ていただくようなことじゃないんです。家庭内のちょっとしたことなんで、どうぞもう……」

駒田は、ついには、この通りっと、手まで合わせて警官たちに放免を願い出た。

やがて、年配のほうの警官が頭をかいて、こりゃ事件にならんなあとつぶやいた。警官たちがこのまま帰ってしまいそうに見え、

「ちょっと待ってください」

游子は声を上げた。力なく座っている少女を壁にもたれさせ、玄関のほうに出てゆく。靴もはかず、駒田をあいだにはさむ形で、警官たちと向き合った。

「子どもが血を出していたのを放っておいて、酒を飲みつづけていたんです。それをどうお考えなんですか」

「だから、てめえは引っ込んでろって言ってんだろ」

駒田が、どすをきかせた低い声で言う。

「彼はひどく酔ってます。彼のところに、怪我をした子どもを残してゆくわけにはいきません。虐待《ぎゃくたい》の可能性もあります」

「自分の娘にそんなことするか、ばか野郎」

年配の警官が、自分の背後に立つ奥浦を振り返り、

「あなたも、この方と同じ意見ですか」と訊《き》いた。

奥浦は、困ったような表情を浮かべ、

「どうでしょうか。個人的には、警察の方のお考えに従ってゆきたいと思います」

と、責任を回避する形の答え方をした。

駒田が、游子を押しのけ、警官たちのほうへからだを寄せて、

「旦那方だって、わかるでしょ。男同士なんだ。仕事や家庭がうまくいかねえときには、度を越して飲んじまうことがあるはずだよ。酔っぱらって迷惑かけたのは悪い。反省します。けどね、少しは羽目を外すことがあるのもわかってもらわなきゃ……旦那たちだって、多少の悪さはしたでしょう。男ならあるよ、ねえ、そっちの若いおまわりさんだって、あるでしょ?」

まだ二十歳《はたち》そこそこらしい警官が、親しげに話しかけられ、つい笑みを浮かべた。

「まあ、少々羽目を外すくらいは、男だったらあるだろうけど……」

游子は、彼のその笑みを許せない気がした。彼女は、若い警官の前に進み、にきびの目立つ頬を平手で打った。

「……何すんだっ」

若い警官は、痛みより驚きのほうが大きかった様子で、目を見開いた。

游子は、相手から一歩も引かず、

「痛かったですか。なかの女の子は、血まで流していたんです。子どもに痛い想《おも》いをさせることが、羽目を外すということですか? 男だったらとは、どういう意味です。

男だったら何が許されると思ってるんですか」

若い警官は、言葉が出ないらしく、代わりに険しい表情で迫ってくる。

「まあまあ、ここは穏便《おんびん》に願いますよ」

年配の警官があいだに入った。

「あなたも、警官を叩《たた》くとは無謀だなぁ。公務執行妨害になりかねないよ」

「逮捕なさいますか」

游子は、年配の警官を見つめ返した。

相手も困ったように吐息をつく。

彼女は、警官や奥浦だけでなく、その後ろの住民たちも視野に入れ、

「これは、法律でちゃんと決まっていることなんです。我々にも、あなた方にも、子どもの安全を保護する義務があるんです」

さらに警官たちと、転属してきたばかりの児童福祉司とを交互に見て、責任を問われることを嫌う人間に、少しずるい言い方になるのを承知で、

「このまま少女を残して、何か事が起きたとき、あなた方はどう責任を取るおつもりですか。警察のおふた方については、お名前をもう一度、お教え願えますか」

さすがに警官たちをはじめ周囲の雰囲気が変わった。年配の警官は、帽子をかぶり

直し、游子の背後に回っていた駒田へ、

「まあ、あんたも、だいぶ酔ってるのは確かだし、子どもが怪我したのも間違いない。酔いがさめるまで、ひと晩、頭を冷やしてゆくか」と言った。

駒田のうなり声が聞こえた。

「いやだ」

彼が言う。とたんに游子は髪をつかまれた。

「てめえら、この女の言いなりかっ」

突然のことで、彼女も対応できない。

「おい、よせ」

警官たちが止める。

「誰がブタ箱なんか入るかよ。このアマ、ちくしょうめっ」

游子は髪ごと後ろに引っ張られた。なんとか腕を振って駒田の手を払いのけたが、障害の残る左膝《ひだりひざ》に負担がかかり、廊下に尻《しり》もちをついた。すぐに駒田が蹴《け》ってくる。ふせぎきれずに脇腹《わきばら》を蹴られた。

警官たちが駒田を押さえた。

「大丈夫かね」

年配の警官が訊いてくる。

游子は、ようやく息をつき、脇腹にふれた。折れた感じはなく、うなずいた。

「玲子、玲子ー、お父ちゃんを助けてくれー。玲子ーっ」

警官たちに両腕をとられた状態で、駒田が叫んだ。

游子は、倒れたままの姿勢で、室内に視線をやった。少女がこちらへ駆けてくる。裸足《はだし》で廊下へ飛び出してきた。

「止めてください」

奥浦に頼んだ。彼は慌てて腕を伸ばし、少女を抱きとめた。駒田の声が階段の下から響いてくる。少女が父親を追ってゆこうと、手足をばたつかせた。

游子は、とっさに少女の手を取り、

「お父さんは大丈夫。別の場所で、お酒が抜けるのを待つことになったの。玲子ちゃんは、そのあいだ傷の手当てをして、ゆっくり眠れるところへ行くのよ」

少女が振り返った。游子はいっそう強く彼女の手を握った。少女の目が微妙に変化する。たびたび傷ついてきた子どもには、あきらめ癖とでもいうようなものがあるのを、経験として理解していた。そうした子どもは、大人に何か強く言われると、急に事をあきらめ、しばらくのあいだ従順になることがある。少女のからだからも力が抜けた。

游子は、奥浦に向けて、

「あとを追って、子どもは心配ないと、彼に伝えてくれますか。彼とのあいだに関係を作ってください。わたしは嫌われたとしても、センターまで嫌われては意味がないので」

奥浦は、戸惑いながらもうなずき、階段を下りていった。

少女が、游子に手を取らせたままで、

「お父さん、遠くへ行くの」と訊いた。

「ううん、そんなに遠くないよ。酔ってらっしゃるから、少し休んでもらうだけ」

「あたしは行かなくていいの」

「玲子ちゃんは、別の場所で眠るのがいいと思うの。いま、おなかは空《す》いてない？」

「お父さん、帰ってくる？」

「もちろん帰ってくるよ」

「だったら、ここでまってる」

「ひとりでは置いていけないのよ」

「いつだって、ひとりだったもん」

「そう……でも、今日はわたしたちのところに泊まって。お父さんには、ちゃんとあなたがどこにいるか、伝えておくから」

警官たちが応援を呼んだのだろう、ほどなくサイレンの音が聞こえてきた。

游子と奥浦は、タクシーを呼び、少女を後部座席の中央に座らせて、児童相談センターへ向かった。途中、コンビニエンス・ストアの前で車を止めてもらい、游子は自腹を切って、少女におにぎりとドーナツを買った。

児童相談センターの敷地内に建つ、一時保護所の玄関前には、保母が迎えに出ていた。各所への連絡のため、奥浦は本棟の事務室へ向かった。游子は少女と手をつなごうとした。少女は手を取らせず、ひとりで保母のほうへ歩いていった。

「いらっしゃい。駒田玲子ちゃんね」

保母が少女に語りかける。少女は、保母の隣で止まったが、返事もしなければ、相手のことも見ない。

保母が少女を一時保護所のなかへ案内した。游子は後ろから付き添った。少女が玄関先で運動靴を脱ぐ。部屋は二階よと、保母がスリッパを勧めた。少女が素直にスリッパをはいたところで、

「じゃあ、玲子ちゃん、ゆっくり休んでね。また明日会いましょう」

游子は、少女と同じ目の高さになるよう腰をかがめ、ほほえみかけた。握手ができたらよいと思い、手を差し出した。

少女は、游子を見つめ返したかと思うと、いきなり顔に唾《つば》を吐きかけた。そのまま保母が止める声も聞かずに、階段をのぼっていった。

「大丈夫ですか」

保母がこちらへ戻ってくる。

游子は、ハンカチで顔を拭《ふ》き、

「すぐにあとを追って、彼女と信頼関係を築いてくれる？　いまがちょうどいいと思うの。彼女も怒りを外へあらわした分、傷ついているはずだから」

保母が二階に上がってゆくのを見送ってから、玄関の外へ出た。雨が降りはじめていた。脇腹と、左膝とが少し痛む。それ以上に、少女に唾を吐きかけられた頰のあたりが、熱を持ってうずく気がした。

玄関の庇《ひさし》の下から、中庭のあたりに目をやった。街灯の光がわずかに届くあたりに、八重桜の木がある。視線の先で、花のひとつが突然崩れるように散った。重なり合っていた花びらがちりぢりに舞い、雨にけぶる光の奥へ消えた。

＊

小さなデコレーションケーキに、棒状の花火が二本立てられていた。

花火は、こまかく火花を散らし、運んでくるウエイターの笑顔を浮かび上がらせている。十歳くらいの少女と、五、六歳の男の子、そして両親だろう男女の四人が、拍手と歓声とでそれを迎えた。

レストラン内のほかの客も、花火の爆《は》ぜる音と火花に目をひかれて、ウエイターがテーブルにケーキを置くまで、様子を見守っている。ウエイターが去ったあと、

「おめでとうー」

子どもたちが声を上げた。

「ありがとう」

大人二人が嬉《うれ》しそうに答える。

「結婚五十年だと金婚式でしょ。十周年でも、何か呼び名があるの？」

少女が訊《き》いた。

「プラチナかな、覚えてないな」

父親らしい男が首をかしげる。

「でも、かなりいいほうだよ。十年ももつなんてさ」

少女の言葉に、母親らしい女が苦笑を浮かべた。

「よしなさい、そんな言い方」

「だってさ、うちのクラス、親が離婚してる子、すっごく多いんだよ。リエにエッコんとこでしょ。鈴木も田中もそうだよ。アリサと佐々木はもともとシングルだし」

「お友だちのことを、呼び捨てにしないの」

「もう花火、終わりだな。抜くか」

父親が、花火の消えた棒をケーキから抜き取った。それまで黙って花火を見ていた男の子が、顔を上げて両親を見つめ、

「ねえ、愛してる？」と訊いた。

「やだ。なに言ってんの、この子」

少女が笑った。

「ねえ、パパ。ママのこと愛してる？」

男の子は真剣な表情で繰り返す。

「まあ、そのつもりだけどな」

父親が笑って答えた。

男の子は、テーブルを拳《こぶし》で叩き、

「まじめに答えてよ」と声を高くする。

「愛してます、もちろん」

父親が笑いをこらえて答えた。

「じゃあママは？　パパのこと愛してる？」

男の子が母親を見つめた。

母親は、胸を張って、わざと誇らしげな口調で答えた。

「ええ、愛してるわよ」

男の子は、恥ずかしそうに顔を手でおおい、テーブルの下にもぐりこんだ。それを見て、ほかの三人がさらに笑った。

やっかいな席に座ってしまった……。

巣藤浚介《すどうしゅんすけ》は小さく舌打ちをした。ウエイターに案内されるままに着いた席だったが、まさか結婚記念日を祝う家族の隣になるとは思わなかった。すぐにも席を立ちたかったが、注文した品をまだ半分も食べていない。

窓越しに外へ目をやると、雨足が先ほどより強くなっていた。

私立高校で美術を教えている浚介は、この日、夜の八時から東京渋谷の街に出た。自校の生徒が、ゲームセンターや酒を出すカラオケ店などにたむろしていると、保護者の一部から連絡があり、そうした生徒を見つけ次第補導することが目的だった。学校側の決めた当番だったため仕方なく出ただけで、個人的にはやる気もなく、一時間ほど回って帰るつもりでいた。その矢先に雨に降られ、目の前のレストランに飛び込んだ。このまま雨が上がるか小降りになるまで、ビールと生ハム、店の自慢料理だというパスタをゆっくり楽しむつもりでいた。

「ぼく、結婚する。いますぐするよ」

隣の席の男の子が、テーブルの下から顔を出し、宣言するように言った。周囲の客もほほえましく彼を見ている。

「結婚して、愛してるって、みんなに言ってあげる。本当だよ」

男の子がむきになったようにつづけた。

浚介は、グラスに残っていたビールを飲み干し、パスタもハムも半分以上残して、席を立った。勘定をすませて外へ出る。雨はなお強く降っており、春用のコートで頭をおおうようにして駆けだした。

通りには、いたるところにゴミが散乱していた。空き缶、雑誌、煙草《たばこ》の吸がら、フアーストフードの袋……消費したその場で捨てるらしく、それらが道路にへばりつき、雨に濡《ぬ》れてすべりやすくなっている。浚介は、大きい通りを避け、狭い路地に入った。路地の両側の壁一面に、スプレーでいたずら書きがされている。彼は、ニューヨークのアート感覚の落書きを、学生のとき実際にアメリカへ見にいった。当時のニューヨークの落書きは、なるほど美しいと感ずる表現も見られ、個々の主張や葛藤《かっとう》が感じられるものも多かった。だが、いまこの街で見る落書きは、むしゃくしゃした感情を書き散らかし、人に見つからないよう慌《あわ》てて逃走した雰囲気しか感じられない。浚介は今年で三十一歳だが、十代の頃には確かに似たような切迫した衝動を抱えていた。だから落書きをただ悪いとも思わないが、思想も技術も度胸もないものは、やはりつまらなく感じる。

近道をして、人けのない小さな公園を走り抜けた。一ヵ月ほど前、この公園では、ある地域で起きそうだった戦争への反対集会が開かれた。運動の主体が若い世代だったため、メディアでも注目された。結果的に戦争は起こり、多くの犠牲者が出て、いまもその地では混乱がつづいている。だが公園にはいま、運動のあとは何も残っていない。ホームレスの人々だろうか、青いシートのテントが幾つか隅のほうに見られた。

全身びしょ濡れで、渋谷駅に着いた。午後九時半を回っていた。大勢の十代とおぼしき少年少女が、駅舎の内側で雨がやむのを待っている。仲間と話している者より、ひとりで携帯メールを打ったり、メイクを直したりしている者のほうが多い。寂しげにぼんやり雨を眺めたり、煙草を吸ったりしている少女もいる。すでに濡れてしまったことに開き直り、駅前の広場でボクシングの真似事《まねごと》をしている少年たちもいた。

このなかには、学校へ行っていない者、家出をしている者もいるだろう。朝までカラオケ・ルームで過ごす、あるいは路上や公園で夜明けを待つ者もいるはずだ。アダルト雑誌に下着を撮らせたり、父親ほどの年齢の男に性的なマッサージをしたり、ときには売春までしたりして、友人たちのあいだを泊まり歩いている少女もいるに違いない。少年のなかにも性を切り売りしている者がいるだろう。覚醒剤《かくせいざい》やヘロイン、大麻、マジックマッシュルームが、彼らのあいだを行き来していることも想像できる。

浚介は、テレビや雑誌などの情報だけでなく、教育委員会からの通達、警察の少年係から出される要望や報告、そして、自校の生徒が補導や逮捕されたケースからも、そうした少年少女のあいだの、一部ではあるにしろ、確かに存在している現実を理解している。

理解しながら、いま駅周辺に集まっている若者のなかに、自校の生徒を探そうとは思わない。たとえば、もし生徒を見つけたとして、本当のところ何が言えるだろう。

彼らを補導し、どこへ戻そうというのか……。

浚介自身、彼らを戻すべきだと一般に言われている場所が、本当に正しいとは信じていない。むしろそこは、欺瞞《ぎまん》的な価値観に縛られた場所じゃないかと、疑いさえしている。学校や保護者会への報告、停学や退学も考慮した生徒への対応、更生へ向けての指導、泣き言や苦情を繰り返す保護者の説得など、面倒なことばかりがつづき、しかも彼自身そんなことに少しも意味を感じていない。

若者たちから目をそらし、彼はまっすぐ駅の改札へ進んだ。

雨のため遅くならないうちに帰ろうとする者が少なくないのだろう、電車は混んでいた。立っているだけでも周囲の乗客とからだがふれ合い、人いきれでむっとする。

不意に、近いところで、

「痛《いて》えなっ」

と、男の声がした。当人の姿は見えなかったが、周囲の乗客たちが身をこわばらせ、緊張した空気が車内に満ちてゆく。

電車内や駅のホームでの暴力事件が頻発《ひんぱつ》していた。足を踏んだのに謝らない、老人に席を譲るよう注意されてプライドが傷ついた……そんなささいなことが原因で、相手を死に至らしめるほどの暴力をふるう人間が増えている。電車内での痴漢行為が減らない一方、痴漢行為をしたと訴えられる無実の男性も少なくないと聞く。最初から恐喝目的で、気の弱そうな男を訴える少女のグループもいるらしい。たかだか電車に乗る程度のことで、妙に気をつかわなければならない。自分の暮らす東京西部の荻窪《おぎくぼ》駅で降りたときには、いつものことだが、ぐったりとした。

他人と共有する時間や空間が、ひたすら疲れるようになったのは、二十世紀最後の二、三年前あたりからのように思える。子どもの頃からプライベートな時間や空間を尊重されることがあたりまえだった世代が、社会人として、人の親として、社会の中心となってきたいまの時代背景と無関係ではないのかもしれない。

駅前からバスに乗り、静かな住宅街の入口で降りた。古いスプリング・コートでふたたび頭をおおい、アパートへ走ってゆく。路上にゴミはなく、スプレー缶での落書きも見られない。もしかしたらこうした場所で暮らす若者が、繁華街でゴミを捨て、落書きをするのかもしれない。住んでる地域では、おだやかで責任感のある男性が、地域の外へ出ると煙草のぽい捨てをし、女性にセクハラまがいの言動をする場合があるように。

暗くて道がよく見えず、アパートの近くまで来たところで道路の側溝に足を踏み入れた。ほとんど同時に、どこからか悲鳴が聞こえた。

バス通りから二すじ奥に入った住宅街で、路上に人の姿はない。百メートルほど先の交差点で、信号が赤く点滅している。街灯と家々の明かりがわずかに生活の気配を伝えるが、どこからも悲鳴が上がった様子はなかった。

たぶん錯覚だろう、浚介は側溝から足を抜き、すぐ目の前だった自分のアパートへ入っていった。築二十年の二階建てで、一階と二階に四室ずつあり、一階の最も西側が彼の部屋だった。アパートの右隣の民家は、住人が半年前に引っ越し、無人のまま放置されている。左隣は、四、五人の家族が暮らす二階建ての住宅で、庭が広くとられ、樹木もよく繁《しげ》っている。その樹木のひとつが、浚介の部屋の前まで枝を伸ばし、日差しをさえぎっていた。

浚介は、コートを頭から下ろし、部屋の前へ進んだ。

「やっと帰ってきた」

と声がした。玄関ドアの前に人影がある。相手が誰だかわかり、

「なんだよ……」と、吐息をついた。

「なんだってことないでしょ。こっちだって、こんな真似したくないけど、鍵《かぎ》も預かってないし、携帯はつながらないし」

同じ学校で国語を教えている、清岡美歩《きよおかみほ》だった。浚介より三歳年下で、肩まで伸ば

した髪に軽いパーマをかけ、栗色《くりいろ》に染めている。目鼻だちは整っているが、頰がぷっくりふくらんでいて、やや幼く見える。彼女はそれを嫌い、学校を離れると化粧を濃くし、服装も派手なものを選ぶ傾向があった。学校では、白のブラウスに紺系のロングスカートというのが定番の服装だが、いまは黄色の薄いセーターに黒革のパンツをはき、首にブランドもののスカーフを巻いている。

「急用か」

浚介は、彼女の前を通り過ぎ、部屋の鍵を開けた。

「どこに行ってたの」

美歩が訊く。「もしかして生徒補導？」

「当番だからな」

ドアを開けると、室内にこもっていた空気がむっと鼻先に漂った。浚介は、ときおり匂《にお》いを色として感じることがあるが、いまは黒かびの色を連想した。

「まじめにやるなんて、思わなかった」

美歩が皮肉めいた口調で言う。

浚介は、靴と一緒に靴下も脱ぎ、室内に上がった。玄関からすぐ左にキッチン、右側にトイレとユニットバス。まっすぐ奥に進むと、居室となる洋間へつながった。

美歩も、つづいて上がってきて、

「だったら、帰ってくる時間が早くない？　生徒が危ない場所に出入りするのは、いまからでしょ」

トイレの隣に洗濯機を置いてあり、濡れた靴下をなかへ放り込んだ。コートも脱ぎ、洗濯機の上に置く。

「もしかしてさぼったの。そのほうが、あなたらしいけど」

浚介は、ユニットバスのドアに干してあったタオルを取り、髪を拭《ふ》いた。彼が答えないため、美歩も苛立《いらだ》ってか、

「聞いてる？　携帯に何度も連絡したのよ」と、声をやや高くした。

「電源を切ってたんだ」

「ほかの先生方から生徒を見つけたって連絡が入ったら、どうするの」

「そういうのがうるさいからさ」

奥の部屋に進み、蛍光灯のスイッチを入れた。ベッドと、美術書の並ぶ本棚、木製デスク、その脇《わき》のチェストにテレビとオーディオを置き、部屋の中央にイーゼルを据えてキャンバスを架けてある。衣類はクローゼットに押し込んで、ほかにはかさばる家具も貴重品と呼べる代物《しろもの》もない。

「だったら、わざわざ補導に出た意味がないじゃない」

美歩が部屋に入ってきた。

浚介は、ベッドに腰掛け、裾《すそ》の濡れた綿パンツを脱ぎはじめた。

「初めから意味なんてない。授業が終わったあとの生徒の面倒をいちいちみる教師なんて、世界中どこにいる？　小学生ならまだしも、高校生だぞ。過保護もいいとこだ」

「自分の生徒が傷ついたり、事件に巻き込まれたりしても、平気なわけ？」

「平和なこったな。アフリカのアンゴラで、いまこの時間、何人の人間が死んでると思う。チェチェンでも、大勢の若者が死んでる。幼い子どもに戦車の大砲が向けられてる地域だってあるんだぜ」

「やめてよ、そんな話」

「どうして。ザイールでも大勢の子どもが飢えてるし、カンボジアじゃ古い地雷がいまでも爆発して、子どもが死んだり障害を負ったりしてる」

「やめてったら、関係ないでしょ」

美歩が、彼を睨《にら》みつけ、「そういうね、世界中のひどいことを、こういう場で持ち出すのは、卑怯《ひきょう》だし、実際そうした国々で苦しんでいる人たちに失礼よ」

苦労してようやく脱げた綿パンツを、彼は床に放りつけ、

「夜遊びする高校生を、さも大変なことのように言うからだ。シエラレオネって、どこにあるか知ってるか？　アチェはどうだ？　そこでは多くの人が死んでる。けど、おまえは、それがどこの大陸や島の、どんな場所にあるのかさえ知らない」

「いま、関係ないって話をしてるの」

「日本は鎖国してるわけじゃないんだぜ。国連や同盟国の要請で、いろんな国に部隊を派遣してるし、貿易に関してだったらもっと多くの国へ影響を与えてる」

「生徒の補導のことでしょ」

「生徒たちが安心して夜遊びできるのも、日米安全保障のおかげかもしれないしな」

「ちゃかさないで」

「カラオケでビールを飲んでる子どものことは心配で、海の向こうで死んでゆく子どものことは、どうでもいいか」

「そんなこと言ってないでしょ。あなた、今日、変よ。生徒が危ない目にあう前に、できることはしようと保護者会と学校側が話し合って、補導に出ることにしたんでしょ。だったら会議の席で反対すればよかったじゃない」

「こっちもクビは怖いんでね」

「偽善者ね。アンゴラだ、カンボジアだって、そういう国の人たちのことを、本当はこれっぽっちも心配してないくせに」

浚介は自嘲《じちよう》気味に笑って、拍手をした。

「ご名答。美術の授業も冷や汗かきかき、ようやくこなしてる人間さ。信じてもない倫理を振りかざして、補導なんてガラかよ。ほかの連中もどうだ、みなさん清廉《せいれん》潔白な思春期を送ったとでも言うのか。煙草《たばこ》も酒もやらず、セックスしたくてうずうずした夜もなかったのか。酔っ払って、おまえのケツをさわったのは教務主任じゃないか。親睦会《しんぼくかい》で、チューしてって寄ってきたのは保護者会の副会長だろ」

「やめてよ」

美歩が、うんざりしたようにため息をつき、浚介の綿パンツを拾い上げた。

「前とは比べものにならないほど、生徒たちへの誘惑が多くなってるのは事実でしょ。生徒たちは、自分のいる場所がどれだけ危険か、わかってないのよ」

浚介は、Tシャツも脱いで下着だけになり、ベッドに寝そべった。

「十六、七にもなってんだ。煙草やセックスをおぼえて、試験に落ちようが、性病におかされようが、自分の責任だろ。第一、補導で、人間の欲求が消えるのか。学ばなきゃいけないのは、欲求を行動に移したときの、リスクと満足との損得勘定だろ。欲求自体を押さえ込んで、どうする。だから未熟な大人が増えるんだ」

「親が子どもの心配しちゃいけないの？」

美歩の声が隣の板間から聞こえた。見ると、彼女が浚介の綿パンツを裏返して洗濯機に入れている。革のパンツを通してうかがえる張りのある太ももの動きを眺めて、

「子どもの自立を、大人が拒んでるって話さ。もっとも、この国じゃほとんど誰も自立なんてしちゃいない。政治も経済もオカミ任せで、結果に、陰で文句を言うだけだ。選挙は、上の言いなりか、ただの付き合い、それ以外は棄権しといて、子どものモラルが低下してると平気で言う社会だ。まあ、世界中似たようなもんで、政府がよその国の人間を殺しても、それが正義と言われりゃ、ひいきチームの勝ち負けほども気にしない。日本よりずっと宗教心のあつい国で、そうなんだ。人間は与えられたものに従うのが楽なのさ。それを批判されたくないから、子どもにも自分と同じ、自立できない人間のままでいてほしいんだろ」

美歩が、部屋に戻ってきながら、

「立派な演説だこと。さぞかしご自分はお偉いんでしょうよ」

「いや。口先だけで何もしない、最低の部類の人間さ」

「じゃあ、わざわざ渋谷まで行って何してたの」

「暇そうな女子高生に声かけて、ビールを飲んでた。キノコを吸おうって誘われたけど、あんな軽いもんでハイになるほど脳味噌《のうみそ》は腐ってないんで、帰ってきたよ。いまの十六、七の子のほうが、よほど性病が怖いしな」

「ほんと最低ね」

美歩が、怒ったというより、疲れたような口調でつぶやいた。

浚介は、彼女の前に立ち、肩に手を置いた。美歩はゆるく押し放そうとする。手を握り、逆に引き寄せた。険しい目が、すねているだけのように見え、唇を重ねた。唇の柔らかさに気持ちも高ぶり、彼女の腰を抱き、口のなかに舌を差し入れる。彼女は歯をかみ合わせていた。むきになり、強引に歯のあいだに舌を入れる。彼女がかすかに声を洩《も》らす。丸みを帯びた尻《しり》に手をやり、後ろから股間《こかん》へ指を這《は》わせた。

とたんに、美歩が身をよじり、彼を突き放した。思いがけず、浚介はベッドに腰を落とした。美歩が無言で見下ろしてくる。つい気おくれし、

「なんだよ」

と、照れ笑いを浮かべた。

「どうするの」

美歩が固い表情で言う。

「何が」

「話、来てるのよ。知り合いの人から、会ってみないかって、何度も言われてるの」

「会いたきゃ、誰とでも会えよ」

浚介はタオルで髪を拭くしぐさに逃げた。

しばらく間があり、

「愛してる？」

彼女のかすれた声がした。

つき合いはじめて二年になるが、彼女がその言葉を口にするのは初めてだった。日頃から理性的な女であろうと努めているところがあり、最初の夜も、それ以後も「愛」などと口にしたことはない。だからこそ、二年もつき合ってこられたのかもしれない。最近は関係に慣れ、彼女の存在がうっとうしくなりかけている。そのくせ別れ話に発展しなかったのは、これといった理由がなかったことと、将来の約束を求められずに安心していられたということだろう。

「どうなの、愛してないの？」

「愛って、なんだよ」

感情を抑えて訊き返した。タオルを下ろし、わざと軽薄そうな笑みを浮かべる。

「ここまでは好きで、ここからは愛だって……そんな基準があるのか？」

相手の顔を見ないよう、壁に掛けてある絵へ目をそらす。彼の描いた抽象画だった。高校に入学する直前、両親から、「おまえは死んだと思うから、二度と顔を見せるな」と言われた。同時に、ずっと可愛《かわ》いがっていた五歳年下の弟からは、涙のにじむ目で睨まれた。彼ら三人と別れた翌日、十五歳の彼は無心に絵筆を走らせた。気持ちを何かにぶつけずにはいられなかった。のちに、美大の講師に見せたとき、色使いがいいと言われた。才能があるかもしれないと、彼自身もしばらく錯覚に陥った絵だ。以後、これ以上の絵を描けたためしはない。

「気持ちなんて、あいまいなもんだろ。心が見えるわけじゃないし、愛についての考え方が互いに違ってたら初めから意味がない。国語のテストで、小説の登場人物がどんな気持ちかなんて設問には、基本的に無理があるって、おまえも言ってたろ」

美歩が部屋の中央に置いたイーゼルの前に立った。イーゼルに架けたキャンバスは白いままだ。浚介は、絵を描くことを理由に美歩と会うのを最近よく避けていたが、今年に入ってまだ二枚しか描けていない。その二枚も、途中でいやになり、捨ててしまった。

「いやな臭《にお》いがする」

美歩が言った。声に微妙なとげがある。

彼女が部屋の窓を開けた。冷たい空気が室内に流れ込み、灯油をまいたような臭いが、浚介のところまで届いた。たぶん隣の家のものだろうが、数日前から同じ臭いがしている。

窓の外は、すぐ隣家の塀だった。塀の向こうに椎《しい》の木があり、繁《しげ》った枝葉のあいだから隣家の二階の窓がのぞけるが、いま明かりはなかった。

隣家には、学校に行っていないらしい、中学生くらいの少年がいる。一年ほど前まで、浚介も家の前で何度か見かけた。こちらをじっと見ていることがあり、気になっていた。やせて、青白い顔色の、おとなしそうな少年だった。

彼の姿を見かけなくなって三ヵ月ほどのち、隣家から言い争う声が聞こえてきた。はじめのうちは、学校へ行けという父親らしい男の声と、理由を問いただす女性の声が多く聞かれた。しばらくすると、うるせえ、ばか野郎といった、少年のヒステリックな声が響くようになった。両親らしい男女も当初は言い返していたが、ここ二ヵ月、彼らの声で聞こえてきたのは、悲鳴に近い哀願や謝罪の言葉だった。一週間前には、「全員ぶっ殺してやる」という少年の声がして、ガラスを割るような音も聞こえた。

浚介は、そうした状況に対し、何も行動を起こさなかった。隣家とのつき合いはなく、相談を受けたこともない。子どもの怒鳴り声が聞こえはじめた頃、隣家の夫婦を見たことがあるが、彼らは人目を気にする様子で、逃げるように家のなかへ去った。家族の問題に介入してほしくないという想《おも》いが感じられ、当事者がそうした考えであるかぎり、他人が働きかけても意味がないと思った。

美歩が窓を閉めた。厳しい表情で振り返り、

「ごまかされないから」と言う。

浚介は、戸惑い、彼女を見つめ返した。

「いったいなんのことだよ」

「愛がどういうものか、わからなくてもいい。始めればいいんだから。始めてくうちに、愛が何かわかってくるから」

「始めるって、何を」

「家庭よ。家族……わたしたちの家族」

美歩が自分の腹部に手をあてる。

「できたから」

耳鳴りに似た不快な音が耳の内側で鳴るのを、浚介は聞いた。

「だって……」と言いかける。

言い終わらぬうちに、美歩が部屋を出た。あとを追い、玄関先で靴をはこうとしている美歩の背後に立った。

「だって……避妊してたじゃないか。用心してただろ」

美歩の背中がふるえた。泣いているように見えた。すぐに小さく笑う声が聞こえてきて、

「避妊の方法としてコンドームは完全じゃないって、保健の時間に教わらなかった？ガキ呼ばわりする生徒に比べて、あなたはどのくらい大人なの」

美歩は、靴をはき終え、玄関のドアを開いた。冷たい風が下着姿の浚介を打つ。彼女が、少しだけ振り返り、

「産むから」

きっぱりと言って、駆け出した。

「待てよっ」

浚介が言うと同時に、ドアが閉まった。奥の部屋に戻ってジーンズをはき、Tシャツを着ながら玄関のドアを開けた。傘をさす余裕もなく、雨のなかに美歩を捜す。交通量の多いバス通りまで出たとき、ようやく道路の向こう側で、美歩らしい人影がタクシーに乗り込むのが見えた。

彼女の名前を呼んだ。雨と車の往来の音に、かき消される。タクシーは新宿の方角へ走りだした。車にはね上げられた水が足にかかり、車道に踏み出していたのに気がついた。歩道へ上がり、しばらくその場に立ちつくしていたが、ほかにどうしようもなく、アパートへ戻りはじめた。雨に濡《ぬ》れる顔を何度も手のひらでぬぐい、

「そんなもん、いらねえぞ」とつぶやく。

アパートの手前まで来たとき、どこかでまた人の悲鳴が聞こえた。

周囲は閑静な住宅街が広がっているだけで、不穏な声を発した何者かがひそんでいる気配はない。一軒一軒の家に目を移してみる。街全体として感じていた安定感が急に失われ、どの家も孤立して頼りなさそうに見えた。

「いらねえぞ、家族なんて」

浚介はもう一度吐き捨てるようにつぶやいた。

＊

列車は、富士山のふもとを後に、東京方面へ向かっている。窓の外は暗く、遠くにまたたく家々の光以外、ほとんど何も見えない。

夜の十時だというのに、列車内の座席は七割がた埋まっていた。昨日からゴールデンウィークに入り、なかには明日も休みを取って四連休、あるいは五月五日まで十日つづけての連休を得て、泊まりがけの旅行を計画する人々も少なくないのだろう。旅装姿の家族連れもあちこちに見受けられた。

馬見原光毅《まみはらこうき》は、自分たち一行の年恰好《としかっこう》が、周囲の家族連れとは明らかにずれているのを感じ、居心地が悪かった。彼の向かいに座っているのは、三十六歳の女性と、小学校に上がったばかりの七歳の男の子だ。馬見原はもう五十を過ぎ、今年中に四になる。

目の前の男の子は、冬島研司《ふゆしまけんじ》といった。長袖《ながそで》のポロシャツにジーンズをはき、昼間の疲れからか、桜色のカーディガンをからだの上に掛けてもらって、眠っている。

女性は、男の子の母親で、冬島綾女《あやめ》という。裾の細いデニムのパンツに白いブラウスを着て、いまは小型のゲーム機に熱中している。面長だが、鼻は丸みを帯び、唇がやや厚い。奥二重の瞼《まぶた》も、やや腫《は》れぼったく見える。彼女の顔の輪郭と瞼の感じが、男の子とよく似ていた。

一方、馬見原は、顔の輪郭が四角く、顎《あご》が張り、瞼は薄く、目尻がつり上がっている。右の眉《まゆ》の上には古い切り傷もある。短い髪には少し白いものが混じり、両耳とも、柔道をするため潰《つぶ》れていた。どれをとっても、男の子と似たところはない。しかも行楽用の華やいだ服装でなく、灰色の背広を着て、傷の入った黒い革靴をはいていた。

隣の席から、三歳くらいの女の子が彼を見つめている。興味深そうな無邪気な瞳《ひとみ》に、馬見原は気恥ずかしさをおぼえた。家族のような顔で冬島母子《おやこ》と一緒に座っていることに自責の念がつのる。

「あ、やられちゃった」

綾女が悔しそうな声を発した。彼女は、ゲーム機から顔を上げ、

「惜しかったぁ。研司をびっくりさせてやろうと思ったのに」と、唇をとがらせる。

彼が何も答えなかったためだろう、どうかしたのと、綾女は視線で問いかけてきた。なんでもないと、首を横に振る。

気配に気づき、綾女が隣に顔を向けた。女の子と目が合ったらしい、彼女が軽く手を振ると、女の子は驚き、座席で眠っている母親のおなかのあたりに顔をうずめた。

綾女は、笑みを浮かべて、ゲーム機をバッグにしまい、

「考えてること、当ててみましょうか」と、ひそめた声で言う。

意味がわからず、彼女を見つめた。綾女は、彼の飲みかけていた缶ビールを窓枠のところから取り、

「おれは、こいつらの祖父《じい》さんじゃねえぞ」

馬見原はつい苦笑した。

綾女は、ひと口飲んで缶ビールを戻し、

「平気ですよ。全然若いもの」

「べつに、何も考えちゃいないさ」

窓のほうへ目をそらす。

綾女が、膝《ひざ》をただして背筋を伸ばし、

「すみませんでした」

と頭を下げた。わざと芝居がかったしぐさをして、素直に言えなかったことを、この機会に口にしようとしているのが感じられる。

「お仕事が忙しいはずなのに、無理に休みを取っていただいて、こうして連れて来てくださり……心から感謝してます」

馬見原は首を横に振った。

「無理にじゃない。仕事がつづいて、休みが取りたかったところだ。それに、昨日も言ったが、富士山をあんな近くで見たのは初めてだ。いつでも行けると思ってるうち、つい機会を失ってきた。出てきてよかった」

綾女は、厳しい父親の赦《ゆる》しを得たように表情をほころばせ、姿勢も崩して、

「よかった……研司もとても喜んでたでしょう。この子がはしゃぐのを見たのは、本当に久しぶりなんです」

彼女は、隣で眠るわが子の頭を撫《な》でた。

研司は、以前、頭部に大怪我《おおけが》を負った影響などもあってか、からだが弱く、精神的にも繊細なところがある。学校ではまだ友だちができないらしい。綾女が仕事から帰ってくると、たいていひとりでテレビゲームをしているという。この連休中、クラスには海外旅行をする子もいるというのに、綾女は仕事の都合で二日間しか休めない。研司を近所の映画館に連れてゆくので精一杯だと聞いた。

馬見原のほうは、現在、大きな事件を抱えておらず、比較的余裕があったため、休みを同僚に代わってもらい、綾女たちを一日だけ泊まりがけの旅行に誘った。彼には家族旅行など、ずいぶん昔に二、三度の経験しかない。どこへ行けば、いまの子が喜ぶのかもわからない。偶然、新聞広告で富士山の写真を見て、綾女に勧めた。

「大きな遊園地があるとか、本当は研司がもっと喜びそうな場所もあったはずだと、あとから思いついたんだが……ホテルの食事も、もうひとつだったな」

馬見原は自嘲《じちょう》気味に言った。

綾女が、大げさなほど手を横に振り、

「研司は満足してました。わたしも食事はおいしかったし、こんなに開放的で、ゆったりした気分を味わえたの初めてです。幸せでした、本当です」

彼女は、若い頃には水商売の世界で苦労を重ねていたが、現在は下町の小さな工場で男たちと同じ仕事をしている。親しくなるまではもの静かで、大人びた、苦労性の女性だと思っていた。実際いまも、馬見原以外の人間の前では、そうした女性を演じている。

だが、彼女の内面には、まだ成長しきっていない子どもがいた。甘えっ子で、いたずら好きで、自信がないため卑下する癖のある、絶対的な保護と愛情を求めている子どもが、馬見原と一緒のときにだけ顔をあらわす。

「この子に富士山も見せられたし、とてもよかったです。でも、どこでも楽しかったと思います。家族一緒の旅行なんて、この子にはずっとなかったことだから」

馬見原はかすかに胸の痛みをおぼえた。家族一緒という、自分の発した言葉の意味に気がつかないのか、綾女はつづけて、

「さっき駅のホームで、研司が楽しそうに跳ねて、今度は富士山のそばの湖で泳ぎたい、夏休みも来たいって、そう言ってたの、知ってます？　あとで、お父さんに頼ん

でよって、あの子……」

彼女が不意に言葉を切った。馬見原の表情に、微妙な変化を認めたのかもしれない。

馬見原は研司に目を移した。開いた口の端からよだれが垂れている。そっと指先でぬぐってやった。綾女がすぐにハンカチを差し出す。彼は黙って指を拭《ふ》いた。

一時間後、列車が新宿駅に近づいた。車内で読んでいた新聞を、馬見原は上の棚に投げ上げた。

「それ、捨てていくんですか？」

綾女が訊《き》く。「素敵《すてき》な記事が載ってたんですよ」

綾女は、彼が渡した新聞をめくり、読者の投稿欄のところだけを破った。

「或《あ》るご家族のお話なんです。九十歳になるおばあさんが、自分の誕生日に、孫や曾《ひ》孫《まご》から手紙をもらったんですけど……曾孫の女子高生が、髪を染めても嫌いにならないかって、このひいおばあちゃんに手紙で訊《たず》ねたんです。おばあちゃんは、わたしも六十歳の頃に白髪を染めたし、手紙を読んで、また染めたくなったって返事したんですね。そうしたらまた返事が来て、今度夏休みに帰省したとき、ひいおばあちゃん、一緒に染めようねって……。ちょっと羨《うらや》ましいなあって思ったものだから」

綾女は、破り取った記事を丁寧にたたみ、バッグのなかにしまった。

電車が新宿駅に着いた。綾女が研司を起こそうとするのを、馬見原は止め、

「おれが背負う」

「……でも、方向が違うし」

「送っていく」

「本当ですか」

綾女の声がはずんだ。

馬見原は、彼女の目を見ないようにして、研司を背負った。

電車を乗り換え、東京北部の、赤羽駅で降りる。新宿付近では強く降っていた雨が、霧雨《きりさめ》ほどに上がっていた。駅前にタクシーの姿はなく、バスも終っていた。歩くと近道をとっても三十分以上はかかる。ひとまずタクシーを探しながら歩くことにした。

綾女が折りたたみの傘を広げ、研司を背負った馬見原の後ろから差しかけてくる。

駅前の繁華街から遠のき、街灯もまばらな通りにさしかかる頃になっても、タクシーはまだ見つからず、もうこのまま歩いて帰ることにした。

しばらくして、研司が馬見原の背中で、ふふんと鼻を鳴らして笑った。

「夢を見てるみたい」

綾女が言う。彼女は、研司の髪を撫で上げるようにして、

「この頃やっと、夢のなかでも笑えるようになったんですよ」

馬見原は、うなずくだけで、言葉は返さなかった。彼女たちの暮らす賃貸の公営団地のあかりが見えてきたところで、

「実は、退院することになった」と切り出した。

「退院って……奥様のことですか」

綾女が訊き返す。声から弾力が消え、

「おめでとうございました。奥様、よくおなりになったんですね」

口調も、大人びたものに変わっていた。

「医者は、寛解《かんかい》と言ってる。ああした病気は治ったとは言わないらしい。もともと心には、完全な状態などないからかもしれない。通常の暮らしを送るのに支障がないと、医者が判断した時点で、寛解と呼び、退院を促すらしい。ここ最近、月に一度の外泊を繰り返してきたが、今後は家に戻って、病院へはリハビリに通う形になる」

「そうですか……本当によろしかったですね。四年になられるのでしょう?」

馬見原は研司をそっと揺すり上げた。

「あいだに一度、退院したことがある。二年余り前だが……つい目を離し、薬をやめていたのに気づかなかった。それでまた病院に戻る形になった」

「二年前……わたしが、油井《ゆい》とのことで、ご苦労をかけていた頃じゃないですか。不安なあまりに、ずいぶん遅くまでお引きとめしたこともありました」

馬見原は、彼女の問いに直接は答えず、

「今度は、きっと気をつけてやりたいと思っている」

「……だからですか」

綾女がつぶやくように言った。「だから、今回、わざわざ休みを取って、研司を旅行へ誘ってくださったんですね。もうこれきりになるということで……」

声に恨みがましいところはなかった。未練めいた感情も、わざと消されているように聞こえる。

公営団地の周囲には、ツツジが植えられ、赤や紫の花が満開だった。馬見原たちは、雨に濡《ぬ》れた花のあいだを通り、八棟並ぶ団地の、北の端に建つ棟へ進んだ。四階建てだが、古い造りのためにエレベーターがない。

馬見原は、研司を背負ったまま、狭い階段を四階までのぼった。階段から一番遠いところの部屋に、『冬島』と紙にマジックで書いただけの簡単な表札が出ている。

綾女が玄関のドアを開ける。石鹸《せっけん》の香りと、子どもの汗の匂《にお》い、野菜炒《いた》めや煮物などの料理の匂い、それぞれが混じり合い、冬島母子の生活の匂いとして、馬見原の胸の奥をなつかしさで満たす。

玄関を入って、次が三畳の台所。左手にトイレと洗面所と風呂場《ふろば》がある。台所につづいて縦に六畳の部屋が二間つづいている。部屋の壁は薄く、もう十一時過ぎだが、隣から赤ん坊の泣き声が聞こえてきた。

馬見原は、台所の次の間に研司を下ろし、中国製の座卓の前に座った。綾女が、奥の部屋に布団《ふとん》を敷き、研司の服を脱がせて湿ったタオルでからだを拭きはじめる。彼がここを訪れるのは、週に一度も稀《まれ》で、仕事の都合によっては二、三週間もあいだが空く。時間も不規則だった。それでも、いつのまにか座卓の前が、彼の居場所となった。綾女と研司の三人で、近所を散歩したときに、古道具屋で見つけたものだ。

馬見原は、隅にあった一昨日の新聞を広げた。紙面の一か所が切り抜かれ、穴があいている。

「これは、どうしたんだ」

「ああ、ごめんなさい。素敵なご家族のお話が出てたものだから」

綾女が、研司にパジャマを着せながら答えた。やはり読者の投稿欄だった。

「最近、始めたんです。ご家族のあいだの、心が温かくなったり泣きそうになったりするような話が、ときどき載るんですね。世間にはつらいニュースがあふれてるけど、こんなに沢山の素晴しい家族もいるんだからって、励まされる気がして、集めてみることにしたんです」

綾女が立って、タンスの上に置かれたスクラップブックを取り、彼に差し出した。開いてみると、確かに小さな記事がこまかく整理されている。ためしに幾つか読んでみた。

末期的な病に冒された父を、家族全員が協力して看病し、厳しかった父から、初めて涙を流して礼を言われ、家族みんなも泣いたという話。

障害を抱えた少年が、懸命に自転車に乗れるよう練習し、スーパーで働いている母親のところまで見せにきて、母親は人前でもかまわずわが子を抱きしめたという話。

十三人の、四世代が暮らす大家族で、曾祖父母《そうそふぼ》も祖父母も元気で、みんな笑って団欒《だんらん》の日々を送っているという話……。

馬見原は、読んでいる途中で、胸が苦しくなり、目を上げた。

切り抜かれた記事は、すでにかなりの数にのぼる。綾女に、いわゆる家族の幸福を羨《うらや》む想いが強いということだろうか。もう少し記事を読もうとして、やはりつらくなり、スクラップブックをもとに戻した。

綾女と研司は、洗面所で歯を磨いていた。磨き終えた研司が、馬見原の前を通って、

布団のほうへ進みかけ、寝室の手前でこちらを振り返る。彼は、母親と似ている腫《は》れぼったい瞼《まぶた》をこすり、馬見原に笑いかけて、

「お父さん」と呼んだ。

その呼び方を許してしまったことを、いまでは後悔しながら、

「なんだ」と答えた。

「お父さん、昨日、一緒にお泊まりしたね。今日も泊まってくの？」

馬見原は、短く迷ったのち、ああとうなずいた。

研司が、満足したのか、へへと笑って布団のなかへ飛び込む。

「おやすみなさい、は？」

綾女が注意した。研司は、布団のなかから顔だけのぞかせ、ベーッと舌を出した。

「研ちゃんっ」

研司は、さっと布団を頭からかぶり、部屋を仕切る襖《ふすま》のことだろう、

「ここ、開けておいてね」

と言い、布団の奥から甘えた表情をのぞかせた。

研司は、なお何度か薄目を開け、馬見原がいるかどうか確かめていたが、綾女がビールの用意をし、馬見原がそれを飲み干す頃には、寝息をたてていた。

座卓の前からは、研司の後頭部が見える。つむじのあたりに、三日月状に髪の生えていない部分があった。手術の痕《あと》がまだ生々しく残っている。

「ウイスキーのほうがいいですか」

台所から綾女が声をかけてくる。

「いや……」

酔う前に帰るつもりでいた。綾女がグラスを手に入ってくる。すでにウイスキーを氷で割って注いであった。

馬見原は、座卓に置かれた琥珀色《こはくいろ》の水と、なかに浮かぶ氷を眺め、吐息をついた。

「甘えがあった。呼ばれることが、嬉《うれ》しかった。二度と、家では呼ばれることがないとわかっていたからだろう……未練めいた想いで、呼ばれることを内心喜んでた」

綾女は、彼の言葉の意味を理解したらしく、

「わたしが、やめさせればよかったんです。ご迷惑をおかけすることも、いつかは、あの子自身がつらくなることも、薄々わかっていたくせに……」

彼女はふたたび台所へ立った。

馬見原はウイスキーに口をつけた。台所から包丁を使う音が聞こえてくる。

「生活のことだが……毎月、いくらかのことはしたいと思ってる」

「ご心配はいりません」

綾女が強い口調でさえぎった。「そんなに気にしないでください。あの子もきっと慣れます。まだ小さいから」

隣の部屋の、赤ん坊の泣き声がひときわ高くなった。ほどなく窓の外から、静かにさせろという怒鳴り声が聞こえた。

「だったら……せめて、職場を変わったらどうだ。もう少しいい仕事を紹介できる」

「いえ。よいところを紹介していただいて、本当に喜んでるんです。研司が病気になったり、いろいろと手続きが必要だったりしたときも、無理を聞いてくださって。皆さん、いい方ばかりだし、大好きな職場です」

「あそこは、急だったし、半年程度のつもりで紹介したんだ。研司が成長すれば、それなりに金もかかる。安工場じゃ、食うだけでいっぱいのはずだ。もっと楽で、資格を取る金も出してくれるところを知ってる。貸しがあるから、話せばすぐにでも」

「これ以上、頼りたくないんです」

懸命に踏ん張ろうとする声に聞こえた。「わたしの甘えが、研司の、あの呼び方を許してしまったのだし……奥様の、以前の退院を、だめにした原因かもしれない」

「それは違う」

「いま、またお世話になれば、先々いっそうつらいことになる気がするんです」

返す言葉がなく、水割りをあおった。窓の外から、いい加減にしろと、男の険しい声が響く。すると馬見原の背後の壁越しに、赤ん坊の母親らしい女の、泣かないのっという、ヒステリックな声がした。あんたが泣きやまないから、お母さんが責められるんじゃないのっ。

何か固いものが壁に当たる音もした。赤ん坊の泣き声が一瞬止まり、次にはわっと高くなった。ふたたび母親らしい女の、意味不明の声が聞こえる。

馬見原は、グラスを置いて立ち上がり、綾女の背後を通って外へ出た。隣室のインターホンを押す。返事も待たず、ドアを繰り返しノックした。

「いま泣きやませるわよ、うるさいわねっ」

部屋から、苛立《いらだ》った女の声が返ってくる。

さらにドアをノックした。開けないと叩《たた》き破るという意志を込め、ノックをつづけた。鍵《かぎ》を開ける音がして、二十代後半らしいやせた女が、警戒した顔をのぞかせた。

馬見原は、ふだんから住人と顔を合わせないよう気をつけ、相手をまともに見るのは初めてだった。灰色のスウェットを着た女は、乱れた長い髪をかき上げ、「いま泣きやますから。ちょっと放っておいてよ」と、顔をそむけた。

「警察だ」

馬見原は、ドアを大きく開き、相手の断りもなく部屋へ上がった。ゴミや物で散らかった台所を通り、洗濯物に足を取られながら、次の間に進む。紙おむつや、壊れかけのおもちゃ、放り出された衣服のあいだに、しゃくり上げている赤ん坊を見つけた。やせて、血色もよくない。赤ん坊のそばにひざまずき、肌着をめくった。どこにも痣《あざ》のようなものは見られない。だが、本来ぷっくりしているはずの手足がやけに細く感じられた。

「何すんの、やめてよっ」

女がかすれた声で叫んだ。

「この子の年は幾つだ」

馬見原は女を睨《にら》み上げた。

「……警察って、本当なの」

「生まれて何ヵ月になるんだ」

「よしてよ、勝手に人の家に上がり込んで。子どもから離れてよ」

だが、女のほうからは近寄ってこない。

赤ん坊のからだに湿疹《しっしん》が出ている。こまめに手当てをしている様子はない。壁の近くに哺乳瓶《ほにゅうびん》が転がり、畳の上に白い液体が散っていた。甘いミルクの香りがする。

「さっき何をした。泣きやまないからといって、この子に何をした」

「警察だからって勝手に上がる権利なんてないでしょ。帰って、早く出てってよ」

母親の不安な声におびえたのか、泣きやみかけていた赤ん坊がまた高い声を上げた。

「とにかく近くの署に連絡する。一緒に来てもらおう」

馬見原は女に言った。奥の襖が開いた。パジャマ姿の四、五歳の女の子が立っている。女の子は、ふるえる目で女と馬見原を交互に見つめ、

「ママぁ……」と呼んだ。

女が、馬見原を突き飛ばして、赤ん坊の上におおいかぶさった。

「どこへも行くもんか。帰れ、早く出てけっ」

仔《こ》どもを守る獣の親にも似た相手の姿勢に、一瞬気をそがれ、次の行動を迷った。

「こんばんは、ごめんくださぁい」

玄関に、綾女が姿を見せた。

「夜分遅くに、ごめんなさい。叔父なの。赤ちゃんの泣き声が聞こえたものだから、早とちりしたみたい。本当ごめんなさいね」

綾女は、赤ん坊を守る形でうずくまった女のほうへ話しかけ、馬見原を目で呼んだ。

パジャマ姿の女の子が母親の背中に手を置いて、馬見原のことを不安そうに見上げている。さすがに気まずく、

「もっと子どもを大事にしないか」

低い声で言い、玄関まで下がった。

「うるさい、うるさい、うるさい」

女が、赤ん坊の上におおいかぶさったまま繰り返す。

もう一度注意しようと、振り向いた。それより早く綾女に腕を引かれた。綾女は、部屋のなかの女の子へ、

「鍵をちゃんと掛けてね。大丈夫だから、何も心配しないで。おやすみなさい」

優しい声音で言い、ドアを閉めた。

馬見原は、背中を押されて、部屋へ戻った。玄関を上がって、台所の次の間に入ったところで、黙っていられず、

「あの女は、子どもを虐待《ぎゃくたい》している」と吐き捨てた。

「そんなこと、わからないじゃないですか」

綾女が困惑した表情で言い返す。

彼は、座卓の前に腰を下ろし、

「前から気にはなってたんだ。子どもがよく泣いていた」

「子どもは泣くのが仕事です」

「今日はまた異常だった。きみは、もっと何か知ってるだろ。虐待に気づいてたんじゃないのか。あの部屋を見たか。子どもが健全に育つ部屋じゃない」

「確かに散らかってましたけど、虐待はないと思います。小さいお子さんを二人も抱えて、苛立つことも多いでしょうけど、叩くなんてことはないと思います。上の子も、本当にお母さんのことを大好きなんです」

「叩いてないと、実際に現場を見なくて、どうしてわかる。子どものからだを調べてみなくて、どうしてわかるんだ」

喉《のど》の渇きをおぼえ、座卓の上のグラスをつかんだ。空だった。綾女が、そのグラスを受け取り、台所へ戻ってゆく。

「あんな風に上がり込んで、何が解決するんです？　ただ引き離せばすむんですか」

「そんな甘いこと言ってて、頭を割られてからじゃ遅いんじゃないのかっ」

みずからの言葉に驚き、馬見原は奥の部屋を振り向いた。研司は深い眠りのなかにいるらしく、愛らしい寝顔が見られる。台所の綾女に視線を戻し、

「すまない。そんなつもりで言ったんじゃない」

綾女が静かに吐息をついた。

「赤ん坊の泣き方が激しくなったのは、ごく最近です。わたしも気になって、何度か彼女と話しました。とぎれがちにですけど、なんとか聞けた話では、旦那《だんな》さんが失業されたそうです。銀行の融資が止まって、勤めていた会社がつぶれたらしくて……。しかも、奥さんにそれを隠して、借金してたらしいんです。お金の工面をされてるのか、いまもいらっしゃらなかったでしょう？　彼女はパートに出たいそうだけど、子どもを預かってくれる公的な機関は空きがないし、無認可の保育園ですら待つ状態なんです。彼女のような親子を守ってくれる社会になっていないんです」

彼女が、馬見原の前にグラスを置き、隣に座った。

「確かに、問題はあるだろうが、そんななかでも、しっかり子育てをしている人はいる。きみもそうだ」

綾女は首を横に振った。

「全然だめです。でも、もしそう見えたのなら、子どもが一人で、仕事もありました。職場の人も助けてくれてます。それに……」

馬見原は、彼女の視線を感じた。彼女の目の輝きに、隠れていた幼さが表にあらわれてくるのが見て取れた。

「支えてくれる人がいたから……なんとかやってこられたんだと思います。でも、研司を本当に幸せにしてやれてるかと問われたら、正直胸は張れません」

「卑下することはない、きみの悪い癖だ」

彼女から目をそらし、グラスを口に運んだ。横目で見ると、綾女はストッキングのかかとに付いた糸くずを取っていた。

「どういう理由があるにせよ、親が自分のストレスを子どもにぶつけていいわけはない。赤ん坊はやせてた。部屋も衛生的とは言えなかった。きみも見ただろ」

「……何もかも完璧《かんぺき》にはできないんじゃないですか。お隣と同じ状態だったら、わたしだって普通ではいられません。さっき、静かにしろと怒鳴ってたのは、反対側の隣に住んでらっしゃる男性です。朝の五時には勤めに出る方らしくて、よく苦情を言われてます。ほかにも何軒かから、苦情を言われてて……そんな人に、いきなり警察だって上がり込んでも、追いつめるだけの気がします」

「だったら、このまま放っておくのか」

「注意して声をかけてみます。彼女、人見知りが強くて、なかなか打ち解けてくれませんけど、辛抱強くやってみます。彼女の身になって考えるようにしないと、結果的には、子どもにも悪い影響を残すと思うんです」

それで本当によいのかどうか、すぐには判断がつかず、彼は背広のポケットから煙草《たばこ》を出した。研司とその父親の場合は、話し合いの余裕はなく、緊急に仲を裂くことが必要だった。でなければ、研司が死ぬか、あるいは綾女がその男を殺していたかもしれない。

「吸われます？」

綾女の声に、我に返った。彼女が台所から皿を取ってこようとしている。子どものいるこの部屋では禁煙と、彼が決めたことだった。

「いや、いい」

煙草をポケットに戻した。

綾女は、立ったまま座ろうとはせず、しばらく台所との敷居にいて、

「そろそろ……外に出てくる頃じゃないでしょうか」と、暗い声で言った。

馬見原は、誰のことか察し、

「もう他人だ。出てこようが関係ない」

「でも……研司には父親ですから」

「親権のことも決着がついてるだろ」

「それで納得する人じゃありません」

「子どもの頭の骨を折った人間が、どうして親だと名乗れる？　奴《やつ》の上にいる人間も、承知してる。きっとここへは来させない」

「もし、現れたら」

「大丈夫だ、何とかする」

「……連絡しても、いいんですか」

馬見原は答えかけた言葉を呑《の》み込んだ。

「すみません」

綾女は、恥じたように早口で言って、話題を切るように部屋を横切った。寝室のタンスの引出しを開け、何かを手に戻ってくる。座卓の上に、一枚の写真が置かれた。

「最後の記念になりました。無理を言って、撮ってもらってよかった」

桜の花びらが散る小学校の門前で、ランドセルを背負った研司を中央にして、右に水色のスーツを着た綾女が立ち、左に灰色の背広を着た馬見原が立っている。彼と研司は手を握っており、やや父親が老《ふ》けてはいるが、三人家族の仲むつまじい入学式の記念写真に見えた。

「持っててくださいますか。忘れられていないと思うだけで、支えになります」

馬見原は写真を手に取った。写真のなかの情景に比べ、自分の指が無骨で、皺《しわ》が深いことが、急にいやらしく思われ、急いで背広の内ポケットにしまった。

このまま綾女と向き合っていることもつらく、立ち上がって、玄関に向かった。綾女は黙っていた。靴をはき、未練を押し殺してドアノブをつかんだ。そのとき、

「お父さん」

研司の声がした。寝言らしく、つづけて何かつぶやいているが、はっきりとした言葉にはならない。

動けなくなった馬見原の背中に、柔らかな重みがもたれかかってきた。

＊

「愛しているか」

裸のからだに、特殊な鉄の刃があてられた。

男は、口のなかに濡《ぬ》れた布巾《ふきん》を押し込まれていて、答えられない。

「どうだ。愛しているのか」

ふたたび訊《き》かれ、男はうなずいた。

「それを証明してみせるんだ」

鉄の刃がわずかに引かれた。

男は、すじが切れるほどに首を伸ばし、ふさがれた喉《のど》の奥で悲鳴を発した。

「この程度の痛みも我慢できずに、真の愛は証明できない。命を賭《か》けてわが子を救った親の話を、聞いたことがあるだろう？　どうだ、本当に、愛してきたと言えるか」

男は、懸命に顔を起こして、うなずいた。

鉄の刃が彼から離れた。

「あなたは、どう？　真実、愛してきたと言えるか」

男と背中合わせに座らせられている女が、質問者の顔を見上げ、うなずいた。彼女も、口のなかに濡れた布巾を押し込まれている。

「本当に命がけで、家族を愛してきたと答えられるのなら、しっかりとそれをかたちで見せなければ、だめだ」

鉄の刃が、彼女のからだにあてられた。

【四月二十八日（月）】


夜の明けきらないうちに、馬見原は冬島母子《おやこ》の部屋を去った。

寝室を出る際、綾女は研司に寄り添い、こちらに背中を向けていた。かすかな息の乱れから、彼女が眠っていないことはわかっていたが、互いに何も言わなかった。

外は雨が上がり、ツツジの色がぼんやり見きわめられる程度に、空は白んでいる。

部屋を出たあと、団地前の広場に立って、煙草《たばこ》を吸った。五本吸い終えた頃、四階の部屋のドアが開き、三十代半ばの男が薄いジャンパーをはおって出てきた。煙草を消し、男の行く手をはばむ形で進み出る。

相手は、いきなり人が現れたことに驚いた様子で、

「なんだよ」と、後ずさった。

馬見原は、四階の彼の部屋を見上げ、

「迷惑はお互いだ。我慢しろ」

「……酔ってんのか、おたく」

背広のポケットから警察手帳を出し、男の顔の前に突き出した。

「わかるな」

暗くて確かには見えないはずだが、馬見原の発する雰囲気から察したのだろう、男は困惑の表情を浮かべた。

「赤ん坊が泣いていたのを、何度も怒鳴ってたな。ああいう真似《まね》はよせ。今後は苦情を言うな。わかったら、行っていい」

男は、目をしばたたき、

「待ってよ、なんでそんなことに警察が出てくんの。大体いま何時よ。手帳、もういっぺん見せてくれる」

「おまえの声で、ホシが逃げたんだ。おまえの声のほうが、人に迷惑かけてる」

「ばか言っちゃ困るよ。こっちはこの時間に毎日出ていくんだから。寝入りばなに泣かれてみなって」

「耳栓して寝ろ」

「あんた、本当に警察なの」

馬見原は男の胸ぐらをつかんだ。逃げる余裕も与えず、こちらへ引き寄せ、

「警官だろうがなかろうが、人間として、おまえの声に腹が立ったんだよ。てめえの

都合だけで、人を怒鳴るな。いいか、おまえが怒鳴ったことで、母親が追いつめられ、子どもを叩《たた》くかもしれん。そういうことを考えたことがあるか？　え、あるのか」

男は、気押《けお》されてか、黙って首を横に振った。

「じゃあ考えろ。おれはときどき近所を回る。そのときまたおまえの怒鳴り声が聞こえたら、二度と声が出ないようにしてやる。わかったか」

「そんな……赤ん坊が泣くのがうるさいって苦情くらいで、むきになんなくても」

「おまえもピーピー、うるさく泣いてたんだ。それを、みんなが大目に見た。だから成長できたんだ。他人の子でも優しくしろ。母親がもしノイローゼになってみろ。ぶち込むぞ」

男が答えなかったため、シャツの胸もとをさらにしぼった。

「わかった、わかりました。我慢するから……手帳、もう一度見せてよ」

馬見原は男を突き放した。あとひと言でも何かしゃべったら、殴りつける気合で睨《にら》みつける。男は、口をつぐみ、馬見原を避けるようにして通りのほうへ走っていった。

背後から見られている気配を感じた。振り向くと、四階の外廊下に、綾女が立っている。寝巻にカーディガンをはおり、下ろした髪を風になぶられるままにしていた。

しばらく見つめ合った。近くでバイクの音が聞こえた。新聞配達だろう。馬見原は、顔を戻し、振り返ることなく駅まで歩いた。

労働者風の男たち数人と一緒に、動きはじめた電車に乗る。池袋で降り、別の路線の電車に乗り換えるため、構内を歩いた。派手な恰好《かっこう》をした少女たちが、眠そうに足を引きずりながら、街から帰ってくる。あきらかに中学生と思われる少女もいた。少年グループが、そうした少女たちに声をかけている。

不愉快な想《おも》いでそれを眺め、怒ってどうなるわけでもなく、黙って電車を乗り継いだ。乗り込んだ車両の、彼の斜め前に、髪を金色に染めた少女が二人、座席で眠り込んでいた。ごてごてとひどい化粧をしていたが、寝顔はあどけない。マスカラが流れて黒い涙のようにも見えた。

馬見原は、自分の降りる石神井《しゃくじい》公園駅に着く手前で、出来心のようなものから少女たちの肩を軽く叩いた。一人が目を開けた。

「どこで降りるんだね」

もっと先の駅なら、周りの乗客にあとを頼んでもいいと思った。

少女が慌《あわ》てて身を起こした。電車がホームに入ってゆく。少女は、駅名を知って、「なんだ、まだじゃん」と、背中を戻した。

馬見原が、降りる駅を訊《たず》ねようとまだ前に立っていると、

「うぜえな。あっち行けよ、スケベおやじ」

少女は、舌打ちをして、目を閉じた。

電車が止まり、扉が開く。馬見原は何も言わずに降りた。腹は立たなかった。心がやけに寒ざむとしただけのことだ。慣れた感覚でもある。もうずっとこんな心持ちで生きてきた気がする。

シャッターの降りた駅前の商店街を歩き、一軒だけあいていたコンビニエンス・ストアで、牛乳とサンドイッチを買った。大きな公園の脇《わき》を通って、高級住宅地のあいだを抜けてゆく。閑静な通りを奥へと進み、古くからある住宅地の一角に入った。

かつては、向こう三軒両隣どころか、近所一帯ほぼ誰が住んでいるか知っていた。だが、家は次々と建て直され、再開発も進んで住人も入れ代わり、いまは少し離れただけで、どんな人が住んでいるかもわからない。

袋小路《ふくろこうじ》の奥の、平屋建ての家の前に帰り着く。隣の家から犬に吠《ほ》えられた。血統書付きの柴犬《しばいぬ》だと隣人は自慢しているが、雑種としか見えないこの犬は、いつまで経《た》っても馬見原を覚えない。覚えていて、わざと吠えているのかもしれなかった。

門をなかに入り、たまった郵便物を取った。新聞はずっと止めたままでいる。玄関脇に、クリーニング屋のビニール袋が置かれていた。庇《ひさし》が深いため、雨の吹き込んでこない場所だ。汚れ物をここに出しておくと、クリーニング屋が留守中に引き取り、また届けておいてくれる。代金は月末にまとめて払う。昔なじみのクリーニング屋は、いまは独り住まいの馬見原のことを気づかい、下着と靴下まで特別に洗ってくれていた。

玄関の鍵《かぎ》を開け、ゆがみの生じてきた玄関戸を引いた。室内には、かびくさい臭《にお》いがこもっている。仕事柄、家にいる時間が少なく、雨戸も閉めたままだった。

この土地は、馬見原の曾祖父《そうそふ》が、薩摩《さつま》から上京して手に入れたものだと、かつて聞いたことがある。いま馬見原が立っているこの場所だったかどうか、震災もあり、戦災もあって、実のところ定かではない。曾祖父にしても、武士だったか町人だったか農民だったか、くわしくは伝えられていなかった。ともかく約百二十年前、たぶん西南戦争で西郷隆盛《たかもり》が自刃《じじん》したのち……もしくは、琉球《りゅうきゅう》藩を廃して沖縄県が設置された前後あたりに、曾祖父がいまの鹿児島付近から東京に出て、この馬見原の家は始まった。

日露戦争は四半世紀もあとだから、人々のあいだに〈日本国〉という国家意識も、まだ充分には行き渡っていなかった時期だろう。

馬見原の父は、大正六年、ロシア革命が起きた年に生まれた。そのとき祖父が、曾祖父の建てた家を新たに建て直した。六年後、関東大震災によって、家は倒壊し、曾祖父と曾祖母も亡《な》くなった。

祖父は、同じ場所にまた家を建てた。父は、昭和十五年、紡績関係の仕事を見つけ、その家から満州へ渡った。現地で兵役についた父は、終戦後、満州で知り合った妻を連れ、日本へ帰ってきた。だが家は空襲で焼け落ち、完全に瓦礫《がれき》と化していた。祖父が、テントに似たものを建てていたらしいが、家族そろって暮らせるものではなく、両親は近所の人々に手伝ってもらい、とりあえず家の形にしたという。

戦争が終わって四年後に、馬見原は生まれた。彼は当時の家のことは覚えていない。三歳の頃、あらためてしっかりとした家に建て直されたからだ。朝鮮戦争による特需などもあって、不器用な両親でも家を新しくする余裕が生まれたらしい。その家で、妹は生まれ、のちに嫁に出た。病院で息を引き取った父の遺体も、同じ家に戻ってきた。

妹が嫁に出た翌年、いまから二十五年前、馬見原は妻を迎えるにあたり、家を建て直すことにした。両親の建てた古い家ではなく、自分のものと言える新しい家で、家族を作ってゆきたかった。母は、戦後の苦労を思い出してか、慣れ親しんだ家が壊されることに反対した。だが最後には、彼の意志をくみ、建て直しに賛成してくれた。

いま暮らしているのは、そのときの家だ。

基礎の一部だけを残し、ほとんどすべて建て直した。礎石を一部残したのは、曾祖父が建てたときに使ったという、明治時代の石だったからだ。関東大震災で倒壊したときも、第二次大戦時の空襲で焼失したときも、石は残ったらしい。真実かどうかはわからない。だが母は、どうしてもこれだけは残すようにと譲らなかった。

建て直しの当時は、新鮮な木の香りや畳の匂《にお》いが家中に漂い、柱や屋根のきりっとした直線も、まばゆく感じられた。台所と居間のほかに二つの部屋、狭いながら庭のある家の主《あるじ》となり、若かった彼は誇らしく思ったものだ。

しかしいま、主婦の不在が長いこともあってか、家のあちこちが傷《いた》み、廊下のところどころが軋《きし》んで、畳が沈む箇所もある。

馬見原は、無造作《むぞうさ》に靴を脱いで上がり、居間へ進んだ。近頃はもう台所と居間くらいしか使っていない。食べるのも寝起きするのも、着替えるのも、この八畳の部屋だった。冬はコタツに変わる座卓の上に郵便物を放り、台所で薬罐《やかん》に水を入れて、コンロにかける。湯が沸くあいだ、かつて夫婦の寝室だった奥の部屋に進み、仏壇の前に座った。

仏壇には、曾祖父と、祖父母と、父の位牌《いはい》、そして息子の位牌がまつってある。仏壇の脇には、小さな写真立てがあり、十五歳の少年が笑っていた。顔の輪郭や目もとが馬見原に似ている……以前はよくそう言われた。

仏壇の前の湯飲みを持って台所へ戻り、新しく茶をいれ、ふたたび仏壇にささげた。ろうそくに火を灯《とも》し、位牌に向かって手を合わせる。

上着の内ポケットから、写真を出した。どこにしまっておくか迷った。ぞんざいには扱えず、表にも出しておけない。よい場所を考えつくまで、ひとまず息子の写真立ての後ろに置いておくことにした。

居間に戻り、テレビをつける。サンドイッチを頰張りながら、ニュースを見た。

建設業界と代議士と監督官庁との、いわゆる癒着によって、数十億の税金が無駄に使われたというスクープが流れた。代議士秘書が自殺していた。北海道の郵便局に強盗が入り、灯油をまいて火をつけたというニュースがつづいた。二十二歳の女子局員が焼死し、被害者の父親が、犯人を殺してやりたいと、涙ながらに訴えていた。群馬では、ナイフで同級生を刺し殺した中学二年生が逮捕された。動機は、口うるさい親を驚かせたかったからだという。岡山で二台の車が衝突し、孫の結婚式に出席していた老夫婦と、大学に入ったばかりの若者二人が死亡していた。

画面はコマーシャルに変わり、人気俳優の乗る車が海岸線を疾走した。女性タレントが水着姿で砂浜を転がり、スポーツ選手ががんばれと拳《こぶし》を突き出す。

馬見原は、サンドイッチを口のなかに押し込み、牛乳で一気に胃へ流し込んだ。

テレビはまたニュースに戻り、世界の事件が短く紹介された。中東で戦闘機による空爆があった。中央アジアでは軍閥同士の戦闘が起き、多くの死傷者が出ている。異常気象が原因なのかアフリカ西部で飢饉《ききん》が発生し、一方、ヨーロッパの或《あ》る都市では市民が巨大ピザを作る記録に挑戦していた。

馬見原は、テレビを消し、郵便物をざっと眺めて、全部ゴミ箱に捨てた。クリーニング屋から戻ってきた服を出し、着替えてから、汚れ物を袋に入れる。外へ出て、玄関脇にクリーニングに出す袋を置いた。

家には結局三十分しかいなかった。なのに、三十分のあいだに、ずいぶん多くの人が死んだという話を聞かされた。悲惨なことだと思うが、もう慣れてしまった自分がいる。犬に吠えられたとたん、忘れてしまう程度のことでしかない。

馬見原は、隣家の犬に一瞥《いちべつ》をくれ、なかなか明るくならない空を見上げた。一面、厚い雲におおわれていた。

＊

窓の外で稲光が走った。

悲鳴が上がり、数秒のち、雷鳴が窓ガラスをふるわせる。女生徒の何人かが絵筆を床に落とした。

巣藤浚介は、窓の外に向けていた視線を戻し、

「床をちゃんと拭《ふ》いとけよ」

と、教壇から注意した。

美術室の床は、毎日少しずつ新しい色を加え、象徴絵画風の幻想的な色に染まってゆく。生徒たちが無理して描く絵よりも、よほどましに見えることがある。

生徒たちは人物の顔を水彩で描いていた。仲間同士や、教室の隅に飾った彫刻の模型をモデルに、あるいは鏡を自分の前に置いて、筆を動かしている。一年生のこのクラスは入学後三回目の授業だった。先週スケッチも終え、めいめいが絵を仕上げつつある。

有名大学への進学を一番の目的とする私立高校のため、美術の授業は、生徒だけで

なく、ほかの教師からも、受験科目の合間の〈息抜き〉としか考えられていない。一年生は学内のシステムに慣れていないため、パレットの代わりに参考書を広げる二、三年生と違い、素直に画用紙に向かっている。それでも昼食後の五時限目では、さすがに授業に対する緊張感は失われていた。

彼らの気を引き締めるべき浚介自身、昨夜の美歩の言葉が頭を占め、朝から仕事に集中できずにいた。登校してずっと美歩の姿を求めているが、彼女のほうで避けており、まだ話し合う機会がない。

雷鳴につづいて雨が落ちてきた。浚介は女生徒に声をかけられた。授業の終わる五分前だ。

「よし、後始末にかかれ」

生徒たちが一斉に席を立ち、絵筆やパレットを洗うために隅の流し台へ向かった。見渡すと、絵はまだ未完成の者が多い。

「絵は、完成させて提出しろ。できてない者は、持ち帰って連休中に仕上げてこい」

浚介は命じた。

生徒たちが不満の声を上げる。

「受験科目にないと思って甘く見てると、単位を落として、後悔するぞ」

我ながら姑息《こそく》な手段を使うようになったと思う。教師になって八年目。大勢の生徒たちを多少でもまとめ、授業を成立させるためには、脅しめいた手段も使わざるを得ないと、何度も痛い目にあった経験から学んだ。自分が生徒だった頃には、そんな見え透いた手を使う教師は、軽蔑《けいべつ》の対象だったというのに……。

「早くしろ」

自分への嫌悪《けんお》を押し込めるように、浚介は手を叩《たた》いた。生徒たちのあいだを回り、

「完成している絵は、名前を裏に書いてあるか確認して、机に置いておけ」

終業のチャイムが鳴った。家に帰ってまで仕上げようとする者はいないのか、ほとんどの机の上に、絵が残されていた。未完成というのもおこがましい、デッサンだけで終わっている者も少なくない。

子どもの絵に見受けられる天才性は、高校生ともなると、完全に失われてしまっている。絵や彫刻を楽しもうとする者さえいない。行儀のよい色使いと、型にはまった造形、漫画もどきの線ばかりが目についた。それでも、学年に数人は、才能を感じさせる者もいる。だが彼らが才能を生かす進路を選ぶことはない。親が許さないのはもちろん、生徒自身、絵の才能などには意味を感じていないらしい。

彼自身、生活のために教職についていながら、「好きな道を選べ」と生徒に勧める

のは気が引けた。

教室の隅で物音がした。

生徒全員が教室を出たと思っていたが、窓際の一番後ろの席に、一人の女生徒が残っている。彼女は、手に絵筆とパレットを持ったまま、立って、自分の絵を強い視線で見下ろしていた。我を忘れて絵に打ち込んでいるのか、横顔が清新な印象で美しい。

彼女の名前は出てこなかった。生徒数は四十人、授業も三回しかおこなっていないため、全員の名前はまだ頭に入っていない。彼女のことも、いつも顔を伏せて黙々と筆を動かしていた様子を、わずかに覚えている程度だ。通常の制服姿で、外見上これといった特徴もなく、ほかの生徒と見分けるのは難しい。校外で会えば、自分の生徒だとも気づかないに違いない。

「熱心だね、まだ描くのかい」

浚介は軽い口調で話しかけた。

彼女は反応しなかった。なおもじっと机の上の画用紙を見つめている。机の列を回って、彼女に近づいた。授業が終わったことをわかっていないのか、自分の絵に対し、なぜかおののいている様子にも見える。

「もう授業は終わったよ」

浚介は、もう一度声をかけ、彼女の前に立った。強烈な色と、異様な形が目に入った。人物の顔を描くことが課題だったのに、彼女の絵は、幾つもの原色による抽象的な渦の連続体が描かれている。

興味をひかれ、描き手の側に回って、確認した。色彩の渦は幾つも重なり合い、その奥から人の顔が浮かび上がってくる。渦による、ポートレイトと言ってもいい。

人物の頭は、激しい爆発を繰り返したように散りぢりになり、目は寒色の渦を巻いて、暖色系の舌が回転しながら、血のような滴《しずく》を周囲にまき散らしている。背景は、荒々しい嵐《あらし》のような渦巻きの連続で、渦のなかにこまかく描かれている水玉模様は、よく見ると、血走った眼球だった。

その人物は、監視され、干渉される世界のなかで、不安や孤独に苦しみ、自由を求めながら、自由の意味もとらえきれず、葛藤《かっとう》して、狂おしく叫んでいるようだった。技術的には稚拙でも、独特の個性に輝いている。

「いいじゃないか」

浚介は、女生徒の肩に手を置いた。

女生徒が悲鳴を発した。彼女は、絵筆とパレットを床に落として窓側へ逃げ、窓を背にして、彼のほうを振り向いた。

「どうした。驚かせちゃったか」

浚介も、彼女の反応に戸惑い、できるだけ笑顔を心がけ、「授業は終わったよ。チャイムが聞こえないくらい熱中してたのかな？」

彼女は、身を固くしたまま、自分の内側を見つめるような目をした。やがて現在の状況を理解してか、表情からおびえが消えた。

「大丈夫かい？　みんなもう自分の教室に戻ったよ。きみは感心にも、残って絵を仕上げていたようだけど……それだけの価値はあるよ。この絵はとてもいい」

もう一度絵を見直し、彼女に視線を上げた。女生徒も絵に目をやっている。

「これは誰を描いたのかな。モデルがいるのかい」

彼女は答えなかった。唇を厳しく結んで、怖いような目で絵を睨《にら》みつけている。

浚介は、ひとまず話しかけるのをやめ、床に落ちた彼女の絵筆とパレットを拾った。その隙《すき》をつくように、女生徒が自分の絵を奪い取るようにして、手のなかでつぶした。

「きみっ」

止めようとしたが間に合わず、彼女は窓を開けて、絵を外へ投げ捨てた。こちらに向き直って絵の道具を取り、ひと言もなく教室の外へ駆け出してゆく。

彼女を追うか、絵を取るか迷った。窓の外を確認した時間だけ遅れ、教室の外へ出たときには、もう彼女の姿はなかった。絵を拾うために雨のなかへ出てゆき、美術教室の横手へ回った。

藍色《あいいろ》の雨合羽《あまがっぱ》を着た初老の女性が、教室のすぐ脇《わき》に、傘をさして立っていた。傘の下で、女生徒の投げ捨てた絵の皺《しわ》を伸ばしている。

「ああ、パクさん。その絵、うちのなんだ」

浚介は呼びかけた。

保全課職員の白井だった。年齢は六十歳前後で、眼鏡を掛け、背が低いわりに太って横幅がある。彼女は自分のことをほとんど語らないが、父親が朝鮮半島から強制的に連行されてきたという話は、ほかの教師から聞いたことがあった。たぶん本名なのだろう、誰もがパクさんと呼んでいる。学校創立の二十年前、理事の一人が彼女を推薦し、以来ずっと学校の保全にたずさわっていた。校内の花壇を整えたり、掃除をしたり、いわゆる用務員に似た仕事をしている。

「先生、屋根のあるとこに戻って。濡《ぬ》れますから」

パクさんがおっとりした口調で言った。彼女の言葉には、関西弁のなまりが少し残っている。出身が西のほうなのかもしれない。

美術教室と一般教室の棟とをつなぐ、屋根のある渡り廊下のところに、浚介は戻った。彼女が歩いてきて、絵を渡してくれた。

「風で飛んだんですか？　えらい濡れてましたよ」

「ありがとう。教室で乾かすよ」

「それ、先生の絵ですか」

「いや、生徒が描いたんだけど」

「なんや怖い絵ですなぁ」

ふだん彼女と話すことは、ほとんどない。なのに、なんとなく親しみを感じていた。彼の周囲にいる人々は、教師も生徒も受験を目標にして、つねに忙《せわ》しげに活動している。浚介の立場だけが微妙にずれていた。そのため保全課の彼女に、同じ仲間のような安堵《あんど》感《かん》を抱くのかもしれない。

「なんや怖いですよ、その絵」

パクさんは、もう一度言って、雨のなかへ戻ろうとした。雨合羽を着ているのに、傘をさした姿が滑稽《こっけい》で、

「パクさん、雨のなかで何してるの」と訊《たず》ねた。

彼女が振り返った。笑みを浮かべたらしく、もともと細い目がさらに細くなる。

「ちょっと、お祈りです」

「お祈り？」

「よかったら、一緒にどないです」

浚介は、次の授業がなかったため、好奇心も手伝い、パクさんの傘を借りて後ろからついていった。彼女は、一年と二年のクラスが入っている四階建ての東棟の、目立たない北側の隅で止まった。

パクさんは、自分のからだを壁にして、雨合羽のポケットから出した線香に火をつけ、地面に立てた。もう一方のポケットからは缶ジュースを出し、線香の前に置いた。

彼女の話によると、十四年前の今日、ここで女生徒が飛び下り自殺をしたのだという。以来彼女は、命日のたびに、女生徒の冥福《めいふく》を祈ってきたらしい。

パクさんは、まず自分が祈ったあと、

「もし、さしつかえなかったら……」と、浚介に勧めた。

女生徒の名前さえ知らないのにと、行為の意味を疑いながらも、彼女の手前、手を合わせた。線香からのぼる白い煙が、目を刺激する。

「女生徒の遺族は、パクさんがこうやって祈ってきたことを、知ってるんですか」

手を下ろして、彼女に訊ねた。

「いいえ。わたしが勝手にやってることですから」

「だって十四年もずっと祈ってきたんですよね……女生徒の自殺には、学校側にも問題となる理由が、何かあったんですか」

「さあ。いじめがあったという話もあるし、将来を悲観してたという話もあったようですけど……ようわかりません」

「理由もないのに、十四年も祈ってきたということですか」

「人が亡《な》くなったんですから。残念なことでしたから」

それを聞いて、浚介は思い出した。五年前、向かいの西棟でも、男子生徒が飛び下り自殺をした。受験の悩みがあったらしい。パクさんにそのことを告げ、

「あの生徒の命日にも、祈ってるんですか」

「ええ、ご冥福を祈らせてもらってます」

彼女は当然のように答えた。

「知らなかったなぁ。校長とか理事長とか、ほかの人も知ってるんですか」

「いえ。人に話すことではないし、嫌われるかもしれませんから」

確かに五年前、学校側は自殺の件をできるだけ公《おおやけ》にしないよう努めていた。

「もしかして、ほかにもまだ祈ってるんですか」

彼の問いに、パクさんははじらうような表情でうなずいた。

自殺ではないが、体育の授業中に心臓発作を起こして亡くなった生徒がいた。その命日には、運動場の隅で祈っているという。同様に授業中に心不全を起こした例、遊び時間に頭部を打って亡くなった例など、学内で亡くなった八人の死者の冥福を、彼女は毎年祈っていた。二十年間で、その数が多いか少ないかは、浚介にもわからない。だが、毎年パクさんは八度はどこかで祈っていたはずなのに、これまで一度も気づかなかった。

「みなさん、忘れたがりますから」

パクさんはつぶやくように言った。

放課後、生活指導部の会議があり、浚介も出席を求められた。教頭を中心に、学年主任と生活指導主任、及び補佐、保健養護の教諭らが集まり、生徒の問題行動の予防と、対処について話し合うものだ。

現在、慢性的な不登校状態にある生徒は、二、三年生で、それぞれ十五人近くいた。入学して一ヵ月と経《た》たない一年生でも、すでに十人ほどの不登校者がいる。早々に退学届を出した新入生も三人。飲酒やオートバイ運転で停学中の生徒は、全校で六名にのぼる。性の問題も重要な議題だった。

会議はしかし、ここ数年恒例のように、決定的な解決案の出ないまま、だらだらとした調子に終始した。いまなお高学歴が望まれる社会の価値観や、文部行政の締めつけ、躾《しつ》けまで学校に求める保護者、ゆがんだセックス情報を流すメディア、そして自己中心的な生徒への、愚痴や言い訳を繰り返し、最後には、わが子でさえ思うように育ってくれないのにと、教頭がいつもの発言をして、会議はお開きとなった。

浚介はひと言も発言しなかった。不毛な会議に参加したり、繁華街を見回ったりするだけでも苦痛なのに、不用意なことを言って、これ以上つまらない責任を負わされたくなかった。

「教育者だって普通の親なのに、子どもが非行に走ったら何を言われるか、社会的なプレッシャーを感じるよ」

ほかの教師たちが、帰り支度をしながら、雑談をはじめた。浚介は一番年下のため、先に帰るわけにもいかず、周囲のやりとりを漫然と聞いた。

「教師や警官の子どものほうが、一般家庭より問題行動を多く起こしてるように報道されるでしょう。実際そう多くなくても、固い家の子どもが非行に走ると、マスコミは面白がるから」

「五、六年前かな、四国の教育相談所の課長が、家で暴れるわが子を殺しちゃったよね。減刑を願う署名運動も起きて、ちょっとした社会問題になった……」

「刑としては、他人を殺すより重いわけですよね」

「逆ですよ。だいたい四、五年かな。執行猶予《ゆうよ》がつくこともあるらしいです」

「親に暴力をふるった子どもが、悪いってことだろう。裁判官もたいていは子を持つ親だから、心情的に親の側に立つよ」

「しかし、最近、家族のあいだのいやな事件が増えてるね。二月かな、埼玉のほうで、少年が両親を殺して、自殺したことがあったよね」

「年末に千葉でもあったんじゃない。女の子が、二人暮らしだったお母さんの首を絞めて、自殺したって……」

「おかしな世の中になったよ。親も教師もまともな神経じゃやってられない」

「しかし、今日はいい話を聞いたかもしれないな。親には寛大な判決が下りるって。実は最近、息子が暴れて暴れて、もう大変でさ」

「あれ、だって息子さん……」

「いま、三歳。もう家中めっちゃくちゃ」

参加者全員が笑い、浚介もつき合いで笑みを浮かべた。それを汐《しお》に一同が席を立ち、彼もようやく帰れるとほっとしたが、会議室を出たところで、教頭に呼び止められた。東京都の児童相談センターで、思春期児童についてのセミナーが開かれ、各学校も参加を求められているという。ついては、浚介にも代表して参加してほしいとのことだった。

疲れきって学校を出たあと、先に帰った美歩が気になり、携帯電話に連絡した。電源を切っているのか、彼女は出なかった。

東京生まれの美歩は、両親と同居していた。父親は自衛官と聞いている。まっすぐ帰る気にはなれず、といって美歩の家を訪ねる勇気もなく、浚介は一人で夕食をとり、パチンコ屋で時間と金を浪費してから、アパートに戻った。もう十時を過ぎていた。

部屋では、留守番電話のランプが点滅していた。ボタンを押し、伝言が再生されるあいだに、持ち帰った女生徒の絵を広げる。雨に濡れて色が流れ、折り目もでき、最初に見たときの鮮やかな印象は失われていた。だが、眼球の嵐《あらし》に追いつめられ、狂おしい叫びを発する孤独者の顔は、なお見る者の胸に迫った。

浚介の感傷かもしれない。だが、雨や無秩序な力が加わったために、かえって存在の不安にふるえる人間の象徴画として、成長したようにも感じられる。

絵の裏に名前はなかった。入学写真を参考に、女生徒のクラス担任に確かめ、彼女の名前が芳沢亜衣《よしざわあい》だと知った。父親は大手商社に勤め、母親は専業主婦。ひとりっ子で、おとなしく目立たないタイプだが、入学試験の成績はかなり優秀だったらしい。

留守番電話に残された伝言が流れはじめた。二件つづけて信号音だけが虚《むな》しく響いた。三件目は何も聞こえず、しぜんと耳を近づけた。

「死んでやる」

それだけで切れた。

女の声だとは思ったが、美歩かどうかはわからない。いたずらかもしれない。もう一度確認しようとしたとき、先に電話が鳴りはじめた。気持ちを落ち着けてから、受話器を取った。

「もしもし、巣藤さん？　巣藤浚介さんでいらっしゃいますか」

聞きおぼえのない男の声だった。

「そうですが……」

「こちらは、練馬警察署です」

美歩の身に何か起きたのか。受話器を握りしめた。

「……を、ご存じですか」

受話器の向こうで、数人の声が交錯し、男の声が聞こえにくくなった。

「アイです。あなた、本当にご存じですか」

「え、何をですか」

＊

痛みはないかと問われ、芳沢亜衣は首を横に振った。

痛みなどない。それより、ぶよぶよしたその手を、早くどけろ、この豚野郎。

吐き気はあるかと問われ、うなずいた。

あるよ、あるに決まってる、いまのこの吐き気は、その煮すぎたウインナーみたいな指で、しつこくさわられてるからだ。

本当はいますぐこの指を払いのけ、汗くさいベッドから逃げ出したい。だが、からだに力が入らなかった。脳と筋肉とをつないでいる神経が、断ち切られているようで、わずかに動かせるのは首だけだ。

「暴力を振るわれたのかね」

からだの上をはい回る指から逃れたくて、べつに考えもせず首を横に振った。つづいて何か訊かれたが、今度は機械的にうなずいた。次は、首を横に振ろうと思う。

この医者は、亜衣を診察する前に、警察官と話していた。ところどころ聞こえてきた言葉から、警察署の嘱託医だとわかった。皺《しわ》の少ない丸々とした顔から判断して、まだ三十過ぎだろう。なのに、自分の尻《しり》の位置を変えるのにも苦労して、そのたび荒い息をついている。次の質問に亜衣が首を横に振ると、ようやく触診の手を離した。

医者は、大儀そうにからだをかがめ、書類に何やら書き込みながら、

「きみは、精神科のお医者さんに、診てもらったことはあるかな。誰かに、心の相談をしたことはあるかね」と訊《き》いた。

亜衣は相手の横顔を見つめた。もしかして、この自己管理もできない肥満野郎に、狂気を疑われたのだろうか。相手の声が聞こえてくる気がする。〈この子、ちょっとオツムがいかれているんじゃないかな〉

だったら、そうかもしれないと答えたい。いや、そうなりたい。狂ってしまえば、肉体が少しずつ腐って、ついにはまともに立てなくなり、汚れた地面を這《は》いずるようにして年を重ねてゆくだけの、みじめな生のイメージから自由でいられる。

だが、他人にそれを説明するのは難しい。なにより、面倒くさかった。亜衣は首を横に振った。

「じゃあ、自殺を考えたことがあるかな」

医者の質問に、亜衣は呆《あき》れた。

考えたことのない奴《やつ》なんているのか……。いや、きっと大勢いるんだろう。彼女とは違う人間のほうが、この世界には多いのに違いない。自殺を考えたこともない人間が、この世界を、こんな風にしたんだと思う。

亜衣が答えずにいると、

「これを飲めば、落ち着くから」

医者は、水と錠剤をベッド脇《わき》の机の上に置いた。

落ち着いて以前の自分に戻るなんて、ごめんだった。少しは前とは違う自分になれる可能性が、生まれかけた気がした。

今夜、男と初めてホテルに入った。生まれて初めて、人を殴った。いや、殺しかけたと言えるのかもしれない。男の頭を灰皿で打ったときの感触が、いまもかすかに手に残っている。

警官たちが、少し離れたところから、彼女の様子をうかがっていた。強制的に薬を飲まされたり、押さえつけられて注射をされたりするのは、それこそ我慢がならない。

亜衣は、自分の手に動くように懸命に求め、どうにかコップを握り、舌の裏側に錠剤を隠して、水だけを飲んだ。

そのあいだ医者は、待機していた制服警官と、背広姿のやせた中年男とに何やら話しかけていた。ここでは背広姿の男が責任者らしく、「梶山《かじやま》さん」と医者から呼ばれていた。診察の前に亜衣にいろいろ質問してきたのも彼だ。彼女がほとんど何も答えなかったため、あらためて質問する機会を待っているのだろう。医者は普通の声で説明をしており、無理に聞こうとしなくても、

「検査をしないとくわしくは言えませんが、ひとまず怪我《けが》は見られません。しばらく休ませれば、家に戻しても……」と、耳に入ってきた。

梶山という男が、ひそめた声で何か言い、それに対して医者がまた、

「思春期特有の、情緒不安定ということが考えられます……性急な質問はかえってかたくなになる場合が……」などと答えている。

彼らはなおしばらく言葉を交わしたのち、医者が亜衣を見て、

「少し休んでいなさい」

と言い、そろって部屋を出ていった。ドアには鍵《かぎ》が掛けられる音がした。

舌の裏に隠した薬を吐き出そうとした。すでに半分以上が溶けかかっていた。急にどうでもよくなり、結局すべて飲み込んだ。コップに残っていた水も飲み干す。

いま着ているトレーニングウェアは、婦人警官に借りたものだった。白いブラウス

とモスグリーンのスカートは、入口脇の壁に掛けられている。

抱き寄せられ、ブラウス越しに他人の手の感触を感じたとき、こんなことで新しい自分が生まれるのだろうかと、正直疑った。そして実際、男の荒い息づかいを首筋に受け、舌のぬめりを頬に感じたとき、思ったのは、再生してゆく自分ではなく、薄汚れた獣に踏みにじられ、ただの排泄《はいせつ》の道具におとしめられていく、みじめな姿だった。怖くなり、逃げようとしたが、逆に押さえつけられた。必死になって手を伸ばし、つかんだ灰皿を振った。突然解放された。彼女を押さえつける力が、消え去った。手には自由を得た感触が、本当にあっけないものだったが残された。このまま自分は生まれ変わってゆけるのかもしれないと思い、その感動は、男の血まみれの手でつかまれるまでつづいた……。

亜衣は、自分が横たわっている固いマットを、拳《こぶし》で叩いた。本当に殺してやればよかった。あと少し力があれば、殺せていたかもしれない……。

彼女がいま頭のなかに想《おも》い描く男の顔は、美術教師の巣藤浚介だった。

浚介は、亜衣の裸よりも恥ずかしい姿を勝手にのぞき、断りもなく内面にずかずかと入り込んできた。

「少しお話しできるかしら」

婦人警官とは服装も物腰も違う、髪の短い女性がベッド脇に立っていた。

顔が小さいというのが最初の印象だった。そのぶん目が大きく見える。亜衣を見つめる瞳《ひとみ》に、知性をたたえた厳しさのようなものを感じた。化粧はほとんどしていない。眉尻《まゆじり》が上がり、強い性格が表にあらわれている気がした。

直観的に、苦手なタイプだと思った。

「どこか苦しいところがあるんじゃない？」

彼女は、清潔な白いシャツに、ジーンズをはき、手には薄手のブレザーを持っている。亜衣のベッドの端に、ほどよい馴《な》れ馴《な》れしさで腰を下ろし、

「からだのことだけを言ってるんじゃないの。何かで、苦しんでるんじゃない？　少し表に出してみたら、楽になるかもしれない……よかったら、ちょっとのあいだ一緒にお話ししない？」

うわべだけではない、確かな思いやりを示す言葉の響きの奥に、よくわからないが、怒りに似た、情熱のようなものを感じる。

なぜか胸が苦しくなった。目の前の女性が、〈善良〉とか、〈正義〉と呼ばれるようなものを象徴している気がした。その〈善良〉な存在に、受け入れられたいというよりも、いまは距離をとっていたかった。

暴れたり、逃げ出したりできればいいが、からだが思うように動かない。いやらしい言葉を、嘘《うそ》でもいいから吐きつけて、相手の世界に呑《の》み込まれたくなかった。

＊

なぜ自分なのか。

受付の制服警官のとがめるような視線を受け、浚介はあらためて自問した。

芳沢亜衣はなぜ、自分の名前を告げたのか……。

三十分ほど前、練馬警察署からの電話を切ったあと、彼は亜衣の担任に連絡を取ろうとした。だが、警察に保護されている相手が、本当に芳沢亜衣かどうか、まだわからなかった。たとえ彼女だとしても、何をしでかし、なぜ身元引受人として浚介の名前を挙げたのか……警察はくわしい説明をしてくれなかったため、ともかくまず確認しようとタクシーで駆けつけた。

夜の十一時を回って、練馬署内は閑散としていた。カウンターの向こうには三人の警察官しかいない。それでも警察という場所の、独特の緊張感のようなものは漂っている。

浚介は、言いようのない不安を抱えてエレベーターに乗り、受付で教えられた通り、三階で降りた。廊下の右手に、学校の教室を二つつなげたほどの大きな部屋がある。部屋の前まで進み、『生活安全課』という表札を確認して、なかをのぞいた。人の姿はなく、書類が乱雑に置かれた事務机が並んでいる。

「どなたか、いらっしゃいますか」

入口脇の、衝立《ついたて》の向こうで物音がした。応接用か何かの部屋がそちらに設けられているらしい。衝立の隙間《すきま》から開いているドアの一部が見える。

「芳沢亜衣のことで来た者です。巣藤と申します」と言葉をかけた。

すると、衝立の向こうから、

「……巣藤、浚介さん？」

驚いたような声が返ってきた。

白いシャツにジーンズ姿の女性が、衝立を回って現れた。最近の女性の年齢はわかりにくいが、彼より二、三歳年下だろうか。身長が高く、余分な肉が少しもついていないように見える。むしろやせ過ぎかもしれない。この手の女性には、ぎすぎすしたものを感じて、浚介は好きではなかった。短い髪は、小さな顔とは似合っていても、やはり女性らしさを感じない。表情が固く、眉間《みけん》に皺が刻まれ、どこか戦闘的な印象だった。

「あなたが、芳沢亜衣さんの先生ですか。美術を教えていらっしゃるという？」

「え、あ、そうです」

浚介はうなずいた。私服の婦人警官だろうと思い、

「彼女はどこですか。いや、本当に芳沢亜衣なんでしょうか」と訊《たず》ね返した。

「本当にとは、どういうことです」

「いや、彼女がなぜわたしを呼んだのか、よく理解できないものだから」

「彼女以外に、あなたを呼ぶ若い女性の心当たりがおありですか」

そう言われると答えようがない。相手が歩み寄ってくる。怪我《けが》でもしているのか、わずかだが左足を引いていた。

「今日、美術の授業はございましたか」

「ええ、ありましたけど」

相手の真意をはかりかね、慎重に答えた。

「授業後、芳沢亜衣さんだけ教室内に残しましたか」

「え……残したわけではなく、彼女が自分で残ってたんです」

「彼女と二人だけで、美術教室にいたというのは事実なんですね」

「まあ、それは確かに……」

「彼女の言葉によれば、五時限目の授業が終わったあと、巣藤浚介先生から、絵のことで話があるからと言われ、美術教室に残されたそうです。そして、教室で無理やり犯され、この秘密を守らなければ殺すと言われた……そう話してます」

すぐには言葉が出なかった。女性は、こちらから視線を離さず、

「彼女はそれで自暴自棄になり、夜の街を歩き回っていたそうです。男に声をかけられるまま、ついてゆくと、ラブホテルの部屋だった……あとのことは、よく覚えていないということです」

「ちょ、ちょっと待ってください」

浚介は混乱した。話がまったく呑み込めない。

「人違いじゃないですか。本当に、うちの生徒……芳沢亜衣なんですか」

相手の女性は、亜衣の人相や髪形、体格などを簡単に話した。覚えている亜衣の容姿と似ていた。美術教室のことと突き合わせても、彼女に間違いないように思える。

「しかし、ぼくは……いや、わたしは、彼女とまともに話したこともないんです。今日まで名前も知らなかった」

「教師なのに、名前をご存じない？」

「美術の授業は週一度で、彼女は一年だから、まだ三回しか授業してません。彼女のことは、今日までほとんど意識したこともなかったんです」

「今日までとは、どういうことですか」

「さっきも言いましたけど、彼女は授業後も、自分から残って絵を描いていました。その絵がとても個性的だったから、いい絵だと声をかけた、それだけです」

話しながら、からだの内側が熱くなってくるのを感じた。声がつい高くなるのも抑えきれず、

「なのに、なんで、そんな嘘を……よりにもよって、犯されたとか、殺すだなんて。本当に彼女が言ったんですか。信じられない」

「落ち着いてください」

彼女が手を伸ばしてきた。捕まるのではないかという漠然とした不安に襲われ、浚介はからだを引いた。

「彼女と話をさせてください。嘘をあばいてやる」

「巣藤さん、わたしがお聞きしたいのは」

「いますぐ連れてきてください。こんなふざけた話はないよ、どういう気だ」

「話を聞いてください」

「下手をしたら、こっちの人生が壊される。彼女はどこです。どうしてそんな嘘を言ったのか、はっきりさせなきゃ。連れてこないなら、案内してくださいっ」

相手の腕をとらんばかりに、つめ寄った。いきなり頬を張られた。

「落ち着いて。話をよく聞いてください」

彼女は呆《あき》れたような表情で言った。

浚介は、頬から耳のあたりがしびれてくるのを感じ、緩慢《かんまん》に手で押さえた。

「彼女は、知らせてほしい人として、あなたの名前と電話番号を教えたそうですね」

目の前の彼女のことを、どう呼べばいいのかわからず、

「おまわりさん、これには何かひどい誤解があるんですよ」

女性が眉をしかめた。

「わたし、警察官ではありませんよ」

彼女が名刺を差し出した。「児童相談センターの氷崎游子と申します。少年係の方は、別の相談事ができたようで、いま少し席を外されています」

浚介は、名刺を見てもまだ意味がわからず、

「警官じゃない……」

「ええ」

「じゃあ、なぜ尋問したんです？」

「尋問なんてしてません」

「次から次と訊《き》いてきたでしょ。誰かも名乗らず、警察署のなかで質問してくれば、誰だって警察の人間だと思うはずだ」

状況はなおつかめないながら、相手への怒りが次第に膨《ふく》らんでくる。

だが彼女は、冷静な表情を崩さず、

「先に名乗らなかったことは、失礼しました。おわびします」

浚介は、一方で別の不安がつのり、

「じゃあ、芳沢亜衣は、もう警察とか、いろんな人にも、さっきのでたらめを？」

「本当に、亜衣さんの言葉は嘘だとおっしゃるんですか」

「当たり前ですよ。証人だっている。保全課の白井って女性に聞けばいい。五時限目の授業後、すぐに会ったんだ」

「そうですか……」

「警察は信じたんだろうか？」

「亜衣さんは、わたしにだけ話したんです。誰にも言わないという約束で」

それを聞いて、安堵《あんど》するより疑問のほうが先に立ち、

「……どうしてあなたにだけ？」

「わたしがここにいる事情から、お話ししたほうがよいと思いますけど」

氷崎游子は、こうした機会に慣れているのか、淡々とした口調で説明をはじめた。

家出中だった小学生児童を一時的に受け入れるため、彼女はこの署を訪れたのだという。そこで、別の事情で保護されていた芳沢亜衣のことも聞いたらしい。

「亜衣さんが何も話さないため、梶山という少年係の方から、相談を受けたんです。先の児童は、別の職員に連れて帰ってもらい、亜衣さんと話してみることにしました。そこで彼女から、さっきの話を聞いたんです」

浚介はようやく納得した。するとまた腹立たしくなり、

「なんだって彼女はそんな嘘を言うんだ。どうしてこんな目にあわなきゃいけない」

だが、目の前の相手からは、期待したような慰めも同情の声もなく、

「彼女のことが心配ではないんですか」

逆に、厳しい声音で言われた。

「心配って……」

「保護されたと申し上げました。それが気にならないんですか」

「だって、何があったかも全然わからないし……」

「こまかな点は、わたしも教えてもらえていませんが、ホテルで男性の頭を灰皿で殴ったということです」

「男を灰皿で……まさか、死んだとか？」

「数針、額を縫ったそうです」

話のつながりがまだ見えない。

「どうして男とホテルになんて？」

「あなたとの件で自暴自棄になっていたと、彼女は話しました」

「だから、それは嘘なんだ」

「ホテルで男性を殴り、そのあとパニック状態で泣き叫んでいたところを保護された。それは事実です」

「だからって、おれには関係ない」

相手の表情に険しさが増した。

「あなた、教師でしょ。生徒があなたの名前を出して、呼んだんですよ」

「知らないよ。なんで彼女が呼んだのか、まったくわからない」

「無責任ですね」

浚介は相手を睨《にら》みつけた。

「女だと思って遠慮してれば、言いたいことを……」

「相手が女だと、どんな遠慮をするんです」

かっとしながらも、うまく言葉を返せない。彼女は、少しも引かない態度で、

「署の嘱託医の診断では、亜衣さんに外傷はないそうです。わたしと話したときの彼女は、精神的に不安定でしたが、現在置かれている状況を一応把握していました。頭のいい子に思えました。でも彼女の発言は、表情や言葉の端々に疑わしいところが多々あります。たぶん思いつきの嘘を並べ立てているんだろうと感じました」

浚介は相手の顔を見つめ直した。

だが彼女は、表情を変えず、

「でも、事実なら、亜衣さんに告訴するよう勧めて、わたしはそれを支えます」

「告訴って、ちょっと待てよ」

「だからこそ、あなたの話を聞いて、確認したいと思ったんです」

「……よかった」

浚介は息をついた。

「よかったとは、どういうことです。彼女には少なくとも何かショックを受けるようなことが起きたはずです」

「本当に心当たりはないんだ」

「だったら、彼女はどうしてあんな嘘を言うんです。身元引受人として、彼女があなたの名前を挙げたのは事実です」

「だから、絵をほめたぐらいしか、心当たりも何も……」

「あなたは、亜衣さんのことを本当には心配なさっていませんね。さっきから、ご自分の体面ばかりを気になさってる」

痛いところを突かれた気がした。恥ずかしくなると同時に、腹が立ち、

「おたくの思いどおりの反応をしないと、問題なのかな。こっちも、いきなり呼び出されて戸惑ってるんだ。その上、警官の真似事《まねごと》をする人間から、尋問されるし、殴られるし」

「殴ってなどいません」

「叩《たた》いただろ」

「あなたが話を聞かないからです。そのくせ彼女の健康状態について、何も問われませんでした。教師なら、そのことを一番に気になさるのかと思いましたけど」

「そんな余裕がどこにある。いまだって本当に彼女かどうかもわからない状態だ」

「一人の少女が保護されたのは事実です。知り合いでないと、心は動きませんか」

いい加減うんざりした。どう言っても言い返され、気持ちだけが滅入《めい》ってゆく。

「いいよ、もう。その、芳沢亜衣と名乗ってる少女はどうなの。入院が必要なの？」

「いま、眠ってます。薬のせいです。話してる途中で瞼《まぶた》が重くなってきたようでした。嘱託医の話によると、入院は必要なく、気がつけば帰ってもよいと聞きました」

「とにかくまず確認しないと」

そのとき部屋に、黒縁の眼鏡を掛けた年配の男が入ってきた。

「そちらが、巣藤さんかな？」

少年係の梶山、と男は名乗った。彼は、浚介と氷崎游子を、地下の医務室へ案内した。

固そうなベッドで眠っていた少女は、確かに芳沢亜衣だった。いまは精神安定剤が効いているという。

浚介は、いったん梶山たちから離れ、担任と教頭に連絡した。次に、名簿で調べておいた中野区白鷺《しらさぎ》にある亜衣の自宅へ電話した。応対に出たのは、亜衣の母親だった。彼女の声は不安のためか、かすれていた。

母親の話によると、亜衣は七時の夕食時には家にいたらしい。そのあと二階の自室で勉強しているとばかり思っていたが、ふだん風呂《ふろ》に入る時間になっても下りてこず、彼女が十時過ぎに部屋をのぞくと、姿がなかった。家や近所をくまなく捜したが見つからず、まさに警察に届けようとしていたところだった。彼女は、浚介に感謝し、いますぐ迎えにゆくと答えた。

＊

游子は、梶山の依頼もあり、亜衣の母親が来るのを、彼らと一緒に待つことにした。残った理由のもうひとつは、巣藤浚介という教師への嫌悪《けんお》だった。無責任で自己中心的で、教師としての自覚というものが少しも感じられない。内面に問題を抱えているであろう少女を、彼のような人間に任せる形で、母親が来る前に帰ってしまうことは、とてもできないと思った。

三階の、生活安全課の応接室で待つあいだ、梶山から、あらためて亜衣の保護の件についての説明があり、今回のことは、事件としては扱わない方針だと聞いた。

亜衣に殴られた男性は、四十代で、妻子もあり、名の知れた通信会社に勤めていた。雨のなかを傘もささずに立っていた娘が、携帯電話に何か話していたかと思うと、道路にそれを叩きつけるのを目撃した。泣いているように見え、彼氏にふられたのかい、と声をかけた。娘はそうだと答え、誘うと素直についてきたという。年齢は二十歳と答え、むろん合意の上と考えていた。なのに、部屋に入るなり灰皿で殴られた。自分は被害者だが、表沙汰《おもてざた》にはしたくない、だから被害届は出さないが、淫行《いんこう》や暴行などは否定する、ということだった。ホテルのフロントも、二人が並んで部屋に入ったところを見ており、無理やりにということではないという。

一方、亜衣の言い分は要領を得なかった。男性の悲鳴を聞いて、ホテルの従業員が駆けつけたとき、亜衣は部屋の前の廊下にしゃがみこんで、泣き崩れていた。警察官が彼女を保護し、署に連行したが、その際もほとんど何も話さなかったという。

練馬署の医務室で、亜衣が濡《ぬ》れた服を着替えたとき、婦人警官が、彼女のブラウスの胸ポケットに、巣藤浚介の名前と電話番号を記したメモを見つけた。亜衣に訊《たず》ねると、学校の先生だと答えた。来てもらうかと重ねて訊くと、うなずいたという。そして、自分の名前も告げたのだった。

「学校の名簿に載ってますよ、わたしの名前と電話番号は。それを写したんじゃないですか」

浚介が口をはさんだ。つづけて何か思い出したのか、

「そう言えば……うちの留守番電話に今夜、若い女性の声で言葉が残されてました。

名乗らないし、いたずらだと思ったけど……もしかしたら」

「言葉はなんと残されてたんですか？」

梶山が訊いた。

浚介は、口を開いたが、首をかしげて、

「忘れました」と答えた。

嘘《うそ》をついている、と游子は思った。梶山もきっと察しただろうが、事件ではないためか、それ以上訊ねようとはしなかった。

亜衣は、なぜ夜の街を歩いていたのか、なぜ誘われるままホテルに入ったのか、そしてなぜ男を殴ったのか……理由は一切語っていない。殴ったことも、よく覚えていないと答えたという。

「氷崎さんには、何も話しませんでしたか」

梶山に問われ、游子は、隣から美術教師の視線を感じながら、

「いえ、理由については何も」と、首を横に振った。

「しかし、何か話されたんでしょ？」

「薬が効きかけていた状態でしたし、はっきりした言葉はありませんでした。ただ、何かしら普通ではないものを感じました」

「確かにね。十五歳の少女が、夜遅く、繁華街の裏手を傘もささず歩いていたわけだから。渋谷や六本木に比べ、この辺は若い子がうろつく場所じゃない。男に誘われてホテルに入ったというが、援助交際をするタイプにも見えない。まあ、最近はまさかと思うような子が、補導されてくるから、見かけでは判断できないけれども」

「相手の男性には、本当に問題はないんでしょうか」

游子は訊ねた。心情的には、相手の男は逮捕されてもいいはずと思ったし、無理やり誘ったのでなくとも、何かの形で罰してもらいたかった。

「問題にはしかねるなぁ、いまのところは……」

「でも、十五歳の少女に声をかけて、ホテルに誘っているわけですから」

「実年齢を知っていたら問題だけれども、その証拠もないしねえ。まあ、妻子持ちの男が、こうした行為をとること自体、許せんという気持ちはわかりますがね……」

梶山が薄笑いを浮かべた。

游子は、こうした場合に男たちがよく浮かべる笑みが、どうしても受け流せない。

「では、男性方はみなさん、そうした行為を許せるんですか。たとえば、夫も子もある主婦が、夜の繁華街を歩いて、若い男の子をホテルに誘っても、寛大な気持ちでいられるんですか」

「いやぁ、そんなつもりで申し上げたんじゃないんですよ」

「女性には許されないことが、男性には許されるというのは、どういうことでしょう」

「いや本当に、軽率な言葉でした」

梶山が頭を下げた。ベテランの警官らしい、うわべだけの行為とわかっていても、游子も言葉を収めるほかはない。

「ともかく、怪我人《けがにん》は出たけれども、被害届は出さない、ホテル側も問題にしたくない、女の子は何も語らない、ということであれば、いわば民事というか事故というかね……彼女の今後というものを、なにより大事に考えたほうがよいと思うんです。ここは警察が出るより、ご家庭内で話し合われるのが一番でしょう」

「その話し合いには、学校側も、ぜひ加わっていただきたいと思います」

游子は、八つ当たり気味に、しかし実際そうして欲しいと願い、浚介に言った。

彼はすぐには答えなかったが、

「それがいいでしょうね」

と、梶山が言い添えると、

「わかりました」とうなずいた。

ほどなく、亜衣の母親が現れた。芳沢希久子《きくこ》と名乗った女性は、外見上は、十五歳の娘がいるとは思えないほど若々しく見えた。顔色はさすがにすぐれなかったが、品のよいスーツを身につけ、いわば隙《すき》のない恰好《かっこう》をしている。

彼女は当然だが、はじめはひどく不安そうだった。娘の寝顔を確認し、外傷などはないと聞いて、ようやく少し落ち着きを取り戻した。しかし、医務室の外で梶山からくわしい事情を聞いて、別の不安に陥《おちい》った様子だった。彼女は、信じられないと何度も首を横に振り、ついには最後まで聞き終える前に、

「何かの間違いです。ホテルだとか、人を殴ったとか……人違いです。でなければ誤解です。娘の話をちゃんと聞いてくださいましたか」

その点はまだ確認できていない旨《むね》を、梶山が説明しようとした。

「ばかげてます。あの子を起こして聞いてみます。はっきりあの子の口から言わせます」

梶山が止め、游子も止めようとしたが、彼女は誰の言葉も耳に入らない様子で、医務室に戻った。

「亜衣、亜衣ちゃん、起きて、起きなさい、起きられないの、どうなの?」

希久子が亜衣の枕《まくら》もとで懸命に呼びかける。

亜衣が目を開いた。游子のところから見えた彼女の瞳《め》には、力がなく、まだ夢のなかにでもいる印象だった。

繰り返し呼びかけられ、亜衣は自分の母親を見上げた。

「亜衣、亜衣ちゃん」

「よかった。大丈夫、痛いところはない？」

亜衣は、なおぼんやりと希久子のことを見つめていたが、小さくひとつうなずいた。

「亜衣、どうして夜中に家を出たの、誰かに呼び出されたの、誰かから脅されてるの？ 何があったか、話してみなさい」

亜衣は口を開いた。何やらささやくような声を発し、

「なんですって？」

希久子が聞き返した。その場にいた全員が息をつめ、亜衣の言葉を待った。

「帰りたい……おうちに帰りたい……」

五歳の子どものような声だった。

希久子が、娘の頭を包み込むように抱きしめた。

「そうね、帰りましょう。早くおうちに帰って、やすみましょうね」

彼女は、持参した紙袋を開き、着替えを出した。游子たちはいったん席を外さざる

を得なかった。

しばらくして、希久子だけが医務室から出てきた。彼女は主に梶山に向かって話した。

「亜衣は巻き込まれただけです。あの子は何もしてません。責められるようなことはしてません。信じてやってください」

「娘さんは今回のことについて何か話されましたか」

梶山が訊《き》いた。

「勉強中、頭がぼうっとしてきたので、庭を散歩しようと玄関を出たそうです。そこまでは覚えているけれど、あとは気がつくと、見知らぬ男と部屋にいて、恐ろしくなり、慌てて逃げた……と。いまでも夢だと思っているようです。相手を殴ったとしても、正当防衛ですよね？　十五歳の子どもですもの。相手は大人でしょ。亜衣はむしろよく逃げたんじゃないですか。殺されていたかもしれないんです」

「庭を散歩するはずが、どうしてお宅から三キロ以上も離れた場所を歩いていたんです？　しかも傘もささずに」

希久子も当惑した表情を浮かべ、

「あの子はまじめ過ぎるんです。没頭してしまう性格です。ピアノもそうでした。小学校四年の演奏会のとき、風邪を引いていたのに熱を押して演奏し、拍手をもらったあとに倒れました。そのときも、あの子は演奏したことすら覚えていませんでした。中学時代は、いまの高校に入ることを目標に、ずっと一途《いちず》に勉強してきました。入学後も、周囲に置いていかれまいとがんばっていたようです。あの子自身気づかぬうちに精神的な疲れがたまっていたんじゃないでしょうか」

「今回のことは、勉強疲れだと……？」

「難しい年頃です。ささいな悩みも、重大事に思えて、何時間も歩いたとか、ぼうっと一日を過ごしたとか、わたしにも覚えがあります。悪い偶然が重なったんじゃないでしょうか。いまは静かに休ませてやるのが、なによりだと思うんです」

強引なまでに言い張る彼女の姿勢が、游子には危うくも感じられた。だが希久子は、他人の意見を恐れるかのように間を置かず、

「いま心配しているのは、むしろ相手のことです。今後、因縁というんですか？　あの子が狙《ねら》われることはないんでしょうか」

梶山が、困惑した表情で頭をかき、

「その点は心配ないと思います。むろんこちらも気をつけますが。ただ……やはり人ひとりが怪我をしていますのでね、お嬢さんには、あらためてお話をうかがうことが

あるかもしれません」

「あの子を取り調べるんですか」

希久子が目を見開いた。「乱暴されかけて、ショックを受けてるんです。いまも少し普通じゃありません。あの子は被害者なんです」

「ご事情は重々……。ですが、まったく何も起きなかったわけではありませんので」

「なかったんです、何も。あの子の将来を考えてやってください。できるだけ早く今度のことは忘れさせたいんです。いっときの忌《い》まわしい出来事に振り回されるのは、たくさんです。わたしどもも、二度とこのようなことがないよう注意します。どうか先々《さきざき》を見てやってください、よろしくお願いします」

彼女は、游子たちのほうへも深く頭を下げ、返事も待たずに、医務室へ戻っていった。次に彼女が出てきたときには、亜衣も一緒だった。亜衣は、レースのフリルがついた、十五歳にしてはやや幼い印象の赤いワンピースを着ていた。

游子は、亜衣の瞳《ひとみ》の状態を確かめた。目は開いているものの、心はまだ眠っているのか、何の反応も示していない。浚介が、担任たちがいまこちらに向かっているので、できれば待っていてほしいと希久子に告げた。

「お待ちするのが礼儀でしょうけれど、この子の健康が心配ですので、失礼させていただきます。後日、ご迷惑をおかけしたことについては、おわびに上がります。ただ、この子は事件に巻き込まれた被害者だということは、学校側にもしっかりご理解いただきたいと思います」

彼女があくまで譲らない態度で言い切るため、浚介も、また梶山も、あとはもう黙って母子《おやこ》が帰ってゆくのを見送るだけのように見えた。

游子は、ようやく機会を得たように感じ、

「ほんの少しだけ、よろしいでしょうか」

芳沢母子の前に進み出た。游子は、亜衣の表情に変化がないのをもう一度確認してから、

「大変失礼だとは思いますけれど、今回のことは、うやむやに終わらせず、きちんと話し合われたほうがよいと思います」

「あなたは……」

希久子が、警戒感をあらわに、游子を見つめ返した。

「児童相談センターの氷崎と申します」

「警察の方じゃないんですか？」

すかさず梶山があいだに入り、

「彼女は、子どもたちの問題行動を専門的に扱っている心理職員さんでしてね。うちも、ときおり協力を願ってるんですよ」と、游子を紹介した。

希久子は、不快そうに眉《まゆ》をひそめ、

「問題行動だなんて、不良か何かと同じように考えられては困ります」

游子はうなずいた。柔らかい声になるよう心がけ、

「今回の亜衣さんの行動を、否定的に考えるということではないんです。どういう理由で今回のことが起きたのか、亜衣さんとじっくり話し合われることを、お勧めしたいだけです。できれば話し合いには学校側にも加わってもらって」

「やめてください」

希久子がさえぎった。彼女は、亜衣を自分の背後に回し、

「この子の前で、これ以上話すのはやめてください。言われなくても、この子のことはしっかり見ていきます。落ち着いたら、話も聞きます。いまはそんな状態ではないし、こんな時間です。少しは考えてください」

「そうですね、失礼しました」

游子は頭を下げた。顔を上げるのに合わせて、名刺を差し出し、

「よろしかったら一度、児童相談センターのほうへお越しになりませんか。ご自宅が

中野区でしたら、本来の管轄《かんかつ》は杉並児童相談所になりますけど、受付でわたしを呼んでください。お話しするだけでいいんです、大げさに考えず、どんなことでも結構ですので」

相手はすぐには名刺を受け取ろうとしなかった。游子も簡単に引き下がるつもりはなく、その態度に気押《けお》されてか、仕方なさそうに受け取った。

「亜衣さん」

游子は、人形のような状態の少女に呼びかけた。亜衣が首を振り向ける。単純に音に反応しただけなのか、表情に変化はなかった。彼女にも名刺を差し出し、

「いつでもいいから連絡してちょうだい。なんでもいいの、どんな話でもかまわないから」

亜衣が手を出す前に、希久子がその名刺も受け取って、

「いろいろとありがとうございました。では、失礼いたします」

と、誰にというのでもなく頭を下げ、亜衣の手を握って、階段を上がりはじめた。

亜衣は、引かれるままに足を動かし、後ろを振り返りもしなかった。

＊

深夜零時過ぎ、練馬署二階の刑事課の部屋に、練馬署および杉並署の三十名あまりの捜査員が帰ってきた。

彼らは、広い部屋のあちこちに散り、ある者は崩れるように椅子《いす》に腰を落とし、ある者はため息をついてテーブルにもたれ、ある者は壁際《かべぎわ》に立って煙草《たばこ》をくわえた。誰かが、ワンワンと犬の鳴き真似《まね》をしたところ、

「つまらぬことをするな」

ちょうど部屋に入ってきた、杉並署の刑事課長がたしなめた。だが、声に力が入っていない。気まずい沈黙が室内に流れた。やがて、椅子に腰を落とした練馬署の若い刑事が、

「情報は完璧《かんぺき》だったんですよ……今日に限って何もないなんて、おかしいですよ」

と、泣きだしそうな声で訴えた。

「今回だけじゃない。これまでもネタが洩《も》れてると感じたことは何度かある」

杉並署の中堅刑事が口をはさんだ。同意の吐息やうなずきが、そこここで見られる。

「もうよせ」

練馬署の刑事課長がおだやかにさえぎった。彼は、部下たちを見渡し、

「ともかくご苦労さん。みんなゆっくり休んでくれ」

彼は、杉並署の刑事課長と顔を見合わせ、署長たちへの報告だろう、そろって部屋を出ていった。

数時間前、練馬署と杉並署の両刑事課が協力して、現在練馬区と、隣接する杉並区にまたがる地域に、目立って進出してきている関西系暴力団の、資金源のひとつであるカジノ・バーの手入れがおこなわれた。

だが、カジノのチップ交換の箱には、模造コインばかりで現金はなく、ゲーム機械を開けさせても、高額紙幣は見つからなかった。不法滞在の外国人女性による猥褻《わいせつ》な接待の情報もあったが、接客の女性従業員はすべて成人の日本人女性で、摘発できるような行為も確認できなかった。

両署が準備に二ヵ月かけた捜索は、完全な空振りに終わった。こうした例は今日だけのことではない。

四ヵ月前、杉並署は、管内のドラッグ・バーを摘発しようとした。客に覚醒剤《かくせいざい》やマリファナを提供し、外国人女性、ときには外国人少年が、客の性の相手をする店だっ

た。内偵のおり、マリファナの煙が立ち込めていた部屋には、煙草の煙しかなく、外国人はいるにはいたが、全員がパスポートを携帯し、自分の意志で遊んでいるだけと主張した。

さらにその半年前、練馬区内の暴力団幹部の家を捜索したときは、拳銃《けんじゅう》を大量所持しているとの情報があったにもかかわらず、数丁のモデルガンしか見つからなかった。たとえ摘発できた事犯でも、逮捕者は取るに足らない小物でしかなく、とくに両署がマークしている関西系暴力団を標的にした場合に、情報洩れが疑われる結果がつづいていた。

「もういいから、全員さっさと帰れ」

練馬署の強行犯係長が、部屋の中央で、せきたてるように手を叩《たた》いた。彼は、恰幅《かっぷく》のいいからだに合った野太い声で、

「杉並署の諸君もご苦労さんでした。杉並まで戻るのは大変だろうから、必要なら受付で車を用意します。あと、うちの連中にも言っておくが、勝手な憶測を働かさないこと。身内同士が疑心暗鬼になって、士気を落とすことがあっては、それこそなんにもならんよ」

彼の言葉をきっかけに、捜査員たちは重い腰を上げはじめた。

馬見原は、部屋の隅のパイプ椅子に腰を下ろし、背広のポケットから煙草を出した。

「馬見原警部補、どう思われます?」

頭の上から、ひそめた声が聞こえた。杉並署刑事課で最も若い、椎村《しいむら》巡査部長だった。彼は、馬見原の隣に立って顔を寄せ、

「内部にタレコミ屋がいるなんて、ありえませんよね。偶然が重なっただけですよ」

馬見原は、一本しか残っていなかった煙草をくわえ、包みを握りつぶして、

「いるさ」と、ぶっきらぼうに答えた。

「え、何がですか」

「イヌだよ」

椎村は驚いた顔で、

「本当ですか……じゃあ、誰か見当つきますか?」と、室内を見回す。

杉並署の捜査員たちは、ほとんど帰り支度をしていたが、練馬署の捜査員はまだ大半が椅子に腰掛け、煙草を吸ったり、同僚と話したりしている。

馬見原は、煙草の空包みを椎村の頭にぶつけ、

「おれさ」

椎村が、振り向き、目をしばたたく。

ライターが見つからず、

「あるか」と訊《き》いた。

椎村が、ぎくしゃくした動きでライターを擦《こす》り、馬見原の前に差し出す。

「あの、警部補……」

「それ、捨てとけよ」

床に落ちた煙草の空包みに顎《あご》を振った。椎村が慌《あわ》てて包みを拾うのを横目に、

「賭博《とばく》ごときで、何人か挙げたところで、どうなる。売春だろうが、ヤクだろうが、少し挙げた程度で社会から消えるか？　こんな茶番は、キャリアの連中が本庁に戻るときの、みやげ話さ。小魚で検挙率を稼いでも、本当のワルを地下に潜《もぐ》らせたら、かえって面倒なだけだ。組とそこそこの関係を保って、必要以上の悪さはしないようコントロールしたほうが、よほど社会の秩序は保てる」

「じゃあ……その秩序のために、警部補が手入れを密告したと言うんですか」

「いや」

馬見原は、ヤニで黒ずんだ刑事部屋の天井を見上げた。

「金さ」

杉並署の同僚たちが、出入口のところから声をかけてくる。

「ウマさん、どうすんの、帰っちまうぜ」

「警部補、近くにうまいラーメン屋がありますよ」

彼らに向かって、軽く手を挙げ、

「おれは、勝手に帰る」と答えた。

椎村が、ようやく我に返った様子で、

「またまたぁ、冗談きついっすよ。からかわないでくださいよ」と、苦笑を浮かべた。

馬見原は、近くの机にあった灰皿で煙草を消し、部屋の前方で書類を確認している練馬署の強行犯係長のもとへ進んだ。

「お疲れさまでした」

相手の正面に立ち、浅く会釈《えしゃく》をした。

「やあ、どうも。お疲れさまです」

十歳以上も年下の係長は、職務を離れた柔らかい表情になり、

「馬見原さんは、確かご自宅は練馬でしたよね。このまま？」

「いや、署に戻ります」

「そうですか。馬見原さんには、うちのサラリーマン化した若い刑事たちを、びしびし鍛えてほしいんですよ。今日なんか、いい機会だと思ってたんですがね」

「いや、自分などもう足手まといになるだけです。ところで、今年の二月、練馬管内の隣の、新座《にいざ》市で起きた事件について、何か知ってることはないですか」

「二月というと」

「埼玉県警の管轄なのですが、十九歳の少年が、両親を殺害して、自殺をした件です」

「ああ。サバイバルナイフで両親を刺したやつですね。むごい話ですな」

「隣接地域として、発表とはまた別の情報をお聞き及びでないですか」

「別の情報、ですか……警察発表では確か、両親のからだを数カ所傷つけていたと、あいまいな表現になっていましたよね。実際には、両親を電気コードで縛り、それぞれの頬と首筋の二カ所を、浅くナイフで切っていたようです。最後に、それぞれの心臓を刺して死に到《いた》らしめ……自分は短い遺書を残して、首を吊《つ》ったということです。しかし、この程度はもうご存じでしょう」

「少年の犯行ということに、一点の疑いもないんですかね。いや、これはもう単純に好奇心なんですが」

「隣接地ですから、地域課の見回りにおいて行き来もあり、情報もそこそこ入りましたが、少年の犯行という点に、疑いはなかったそうです。とはいえ、あらゆることを疑ってかかるのが、馬見原流なんでしょうね」

「いや、お恥ずかしい。妙に頭に残った事件だったもので。ありがとうございました」

馬見原は、丁寧に頭を下げ、部屋の外へ向かった。廊下に出たところで、頭のはげ上がった男が歩み寄ってきた。

「ウマさん、近くで一杯どうだね」

警察学校で同期だった、羽生《はぶ》という練馬署の刑事だった。捜索の前にも顔は合わせていたが、仕事中は私語は慎んでいた。

「ありがたいが、やめとこう。宿直なんだ」

「人生五十年って境をとうに過ぎたのに、張り切るね」

「家に帰るより、楽なだけさ」

羽生は、事情を察してか、誰もいない廊下の奥へと馬見原を誘った。

「持ってるかい？」

馬見原は、歩きながら指を二本立てた。

「安物だぜ」

羽生がポケットから出す。

「ニコチンが多くなきゃ、煙草とは言わんよ」

「ウマさんも、長生きは無理な口だな」

「あんたの煙草だろ」

二人は廊下の突き当たりで足を止めた。

「奥さん、どうなの」

羽生が煙草に火をつけて訊く。

馬見原も、ライターを借りて火をつけ、

「ああ、じき退院だ」

「そうか。おめでとう。家庭が落ち着きゃ、本庁へも戻れるな」

「そんな気はないよ」

「どうして。なんとかなるだろ。検察庁のおエライさんにも貸しがあるはずだ」

「所轄《しよかつ》のほうが気楽でいい」

「そんな言葉を、あんたから聞くようになるとはね。同期の星も老いたりか」

「もとから買いかぶりだ」

「ところで、おれに電話してきた埼玉の事件、さっき係長にも訊《き》いてたろ」

「ああ、確認だけしておきたくてね。気を悪くしないでくれ」

「それはいいんだが、何がひっかかってんだい」

「大したことじゃないんだが……去年の暮れにも、千葉のほうで、十八の娘が母親の首を絞めて、自殺してる。少し似てる気がしてな」

「家庭内の事件は、たいがい似たように映るもんさ」

「子どもが親を殺して、自殺するなんて、そうそう起きることかね」

「ますますいやな時代になったということだろ」

「時代が理由になるとは、思えんのだがな」

馬見原はため息とともに煙を吐いた。

羽生もまた、小さくため息をつき、

「ウマさんが認めたくないのはわかるよ。おれだって、家族くらいは仲良くあってほしい。だが現実に、家族内での悲惨な事件は増えてるだろ。それこそ、以前には考えられなかったような安易な理由で、子が親を、親が子を、あるいは夫婦同士、孫や祖父母もふくめて、家族が家族を殺してるよ。怖いもんさ」

「ハブやん、家族はべつに怖かない。怖いものに変えてしまう何かがあるだけだ」

「なんだい、それは」

馬見原は、うまく答えられそうになく、煙草に逃げた。

羽生が、薄く苦笑いを浮かべ、首を横に振る。

「ウマさん、あんたもおれも折り返し点てのはとうに過ぎてる。このあとの暮らしを考えてるか。仕事ばかりの日々だと、定年後がきついぞ。先輩の何人もが、家に引きこもったり、鬱病《うつびょう》になったりしてる。女房に愛想つかされて、離婚された人もいる。あんたも趣味なんてねえだろ」

「余計なお世話だ」

「おれたちじゃ天下りは無理だし、再就職先はどんどん減って、共済も困ってる。警備会社じゃ、若造に怒鳴りつけられるらしいしな。事件なんざ、若いのに任せて、いまから次の就職先を考えたほうがいいぞ」

「ちょっと気になっただけさ」

「奥さんのこともある。無理しなさんなよ」

馬見原は、手を挙げて応《こた》え、羽生が刑事部屋に戻ってゆくのを見送った。代わりに、廊下の隅で待っていた様子の、椎村が近づいてきた。

「警部補、署に戻るなら、一緒にいいですか。経理がうるさくて、タクシー代、なかなか認めてくれないんです」

「むだに乗り回してるからだ」

馬見原はトイレに向かった。椎村があとをついてきて、

「明後日、梅里《うめざと》の強盗傷害、聞き込みに回られるでしょ？ ご一緒させていただけませんか。課長から、急の事件がないときは、警部補について仕事を覚えろと言われてるんです」

「ほかのケツを選べ」

「警部補にお願いしたいんです。話したと思いますが、自分の父は、以前は警官で、派出所勤務の頃、当時本庁にいた馬見原警部補の働きをよく覚えてるんです。池袋のOL殺し、半日で挙げた話。父が最初に派出所から現着して、現場確保をしたものですから、まっ先に現れ、代行検視もすませて、ほかの捜査員が集まる頃にはホシを挙げてた警部補のことを、何度も聞きました」

馬見原は、椎村を無視して、便器の前に立った。すると、椎村も隣に立ち、

「新宿中央公園の、ホームレス殺しもです。警部補は、連中と同じ恰好《かっこう》で二週間野宿をして、ホシを挙げたそうですね。ほかにも知ってますよ。捜査現場に首を突っ込んだ新米検事が、ホシに殺されそうになったのを、警部補が助けたという話です。その件は、まともに報告すると、検事の首が危ないから、警部補のほうが検事に助けられたように、話を変えたって……。その新米も、いまや方面主任検事であらせられる、

かの藤崎さんで。だから警部補が本庁へ戻る気なら、いつでも……」

「ゴチャゴチャうるせえな。出やしない」

「父は、警部補がいま本庁にいないのが、不思議だと言うんです。でも、自分にとっては幸運だから、いろいろ教えてもらえって。退職して二年も経《た》つのに、刑事になれなかったことが、いまも悔しいみたいで。夢をこっちに託す想《おも》いなんですかね」

手を洗う背後にまで椎村が立つのに、馬見原はさすがにうんざりして、

「おまえは、犬や猫の死骸《しがい》が、民家の前に置かれていく事件に、宿直で二度もぶつかったんだろ。ホシの見当はついたのか」

「いえ、ほとんど証拠がないもんですから」

「やるべきことは、山ほどあるはずだ」

「たぶん中学生か高校生の、いたずらですよ。妙なことを書いた紙を残していくところが、ちょっと変わってますけど」

「紙？　そんな話、聞いてねえな」

「いたずら書き、みたいなもんですから」

「証拠が残ってるんじゃないか」

「パソコン打ちの文字です。指紋は出てませんし、内容も意味不明です。自分はもっ

とまともな事件を追いたいんです。殺人犯を捕まえ、社会に貢献したいんです」

馬見原は、鏡のなかの椎村を睨《にら》みつけた。

「偉くなったもんだ。何がまともか、自分で判断できるようになったのか」

「あ、いえ……そんなつもりじゃ」

「ある殺人犯は、人を殺す前に、犬や猫で試してた。動物を虐待《ぎゃくたい》するうちにエスカレートして、人間を殺したくなった奴《やつ》もいる。社会に貢献？　大したもんだ、よろしく頼むよ。おまえに、このしんどい社会は任せたぜ」

「……申し訳ありません。軽率でした」

「こっちはもう書類仕事専門だ。報告書の添削くらいはしてやるさ」

馬見原は、椎村の前に立ち、洗い終えた手を彼の上着で拭《ふ》いた。悲鳴を上げる椎村をあとに、廊下へ出る。エレベーターを待つのも面倒で、階段へ進んだ。

二階と一階のあいだの踊り場に立ったとき、練馬署の少年係、梶山警部補が、地下から上がってくるのを認めた。梶山と彼は、太田署で二年間一緒に仕事をしたことがある。声をかけようとして、地下からまた人が現れ、口をつぐんだ。ほんの少し左足を引くようにして上がってきたのは、見覚えのある女性だった。

「それでもやっぱり、彼女のことは気になります」

その女性が梶山を呼び止めるように言った。「このままだと、彼女の発したサイン
を見逃すことになりかねません」
梶山があきらめたように振り返った。
「警察としても限界があるし、基本的には家族の問題だからね……ま、何かあったら、
センターのほうにも連絡はしますよ」
「お願いします。わたしは、学校側と連絡をとります。あの教師の方とは、もっとよ
く話し合ったほうがいいと思いますから」
「そのへんは任せますが……彼も参ってたようだし、あまりいじめないようにね」
「いじめてなどいません」
「氷崎さんは、頭がよろしいから、普通の言葉でも、並の男は責められたように思う
のじゃないかな。いや、これはべつに女性蔑視《べっし》とかではないので、失敬。夜も遅いし、
車を呼びましょうか」
「結構です」
彼女がとがった声で言う。梶山は奥へと去り、彼女はそのまま玄関のほうへ進みか
けた。だが、視線を感じたのか、不意にこちらを振り仰いだ。
「……馬見原さん」

氷崎游子が驚いたように目をしばたたく。

馬見原はつめていた息を吐いた。

「元気そうだね」

「驚きました。ここの署に？」

「いや、ちょっと仕事でね」

「ときおりこちらにうかがってるんです。少年係の方に、いろいろお世話になって」

「いまも児童相談センターかね」

「墨田の児童相談所と、台東に移って、今年からまたセンターに戻りました」

「じゃあ、管轄が違う。いま杉並なんでね。会わないはずだ」

「奥様、退院なさるそうですね、おめでとうございます」

游子が頭を下げた。それを素直には受け入れられず、

「その話は、どこからだね？」

「真弓ちゃんとメールのやり取りをしてるんです。退院の話は、三日前に聞きました」

「もうきみとは関係ないはずだが」

馬見原は突き放すように言った。

游子は、受け流すような笑みを浮かべ、

「真弓ちゃんとは、友人として連絡をとり合ってるんです。馬見原さん、ずっともう彼女と会っていらっしゃらないでしょう？」

「それも関係ないことだ。じゃあ失礼する」

馬見原は、階段を下りず、あえて上へと戻っていった。

「馬見原さん」

游子の声が追ってきた。「真弓ちゃんと仲直りなさる時期が来てると思います。奥様も帰ってこられるんでしたら、ぜひ。ご家族で話し合われるべきです。でないと、真弓ちゃんがかわいそうで……」

「あれを、家族などとは思っちゃいない」

吐き捨てるように言って、二階へ、さらに三階へと階段をのぼった。游子か、ことによっては椎村まで追ってきそうな気がして、そのまま四階へ上がり、行き場を失った形で、柔道場の扉を開いた。なかへ入って、扉を閉める。一瞬にして闇《やみ》に包まれた。

だが、窓から街の灯が差し込んでおり、目が慣れてくると、畳が敷かれているほかは何もない、がらんとした空間がひらけてきた。

〈親として失格ですよっ〉

そう言って、彼の頰を打った游子の顔が、記憶の底から浮かんでくる。靴を脱ぎ、畳に上がった。上着を脱ぎ捨て、畳の上を歩いてみる。遊び半分、からだを投げ出し、受け身をとった。平手で強く、畳を打つ。游子の記憶を追い払う。すると今度は、娘の真弓の顔が、闇の奥から浮かんできた。

真弓は、少年院の面接室で、彼に唾《つば》を吐きかけて暴れた。

〈てめえなんて、親じゃねえよ、ぶっ殺してやる〉

からだを起こし、ふたたび背中から落ちる形で、受け身をとった。すぐに起きて、受け身をつづける。畳を打つ音が、何もない空間に響きわたる。泣きながら殴りかかってきた娘の姿を、からだの芯《しん》にまで届く衝撃と音とで、追い払おうと試みる。

だが、いったん重しが外れたためか、彼の内側深くに沈めていたはずの記憶は、次々と浮かんできて、今度は妻の佐和子が目の裏に見えた。

〈すみません、すみません、わたしのせいです、わたしがいたらなかったせいです〉

台所の床に流れる血をぼんやり見つめながら、妻はつぶやいた。

馬見原は、叫びたい衝動を肉体の動きに変え、さらに強くからだを投げ出し、受け身を繰り返した。さすがに息が切れ、壁によりかかって休んだ。型を練習するための鏡がちょうど正面にある。窓からの光によって、ぼんやり姿が映っているのがわかる。

幽霊か何か、実体のない影のようだ。

鏡に歩み寄り、自分の顔を確かめる。まるで死人の顔だった。


長男が死んだのは、八年前の春のことだ。

警察学校時代の恩師の娘、佐和子と結婚し、翌年に生まれた子だった。

馬見原の父もまた警察官だった。父は、第二次大戦後、馬見原の母となる女性を連れて満州から引き揚げ、祖父の友人のつてで警察官になった。

父は、馬見原とあまり似ておらず、ひょろりとやせ、神経質そうな顔だちをしていた。まじめな一面、器用に立ち回れない質《たち》で、感情を言葉にしてあらわすことが下手だった。気まぐれに家族にみやげを買ってくることがあるかと思うと、理由も告げずに馬見原や母を怒鳴り、ことに母にはよく手を挙げた。

母は、身長は低いが、やや太っていて、目や口もとが馬見原と似ていた。自分の意見はほとんど口にせず、何事も夫や家族を優先させる形で生活していた。当時は母親という存在のあり方として、それが当たり前と考えていたが、いま振り返ると、母は自分では何も決断しない、ある種の安易さも抱えていたように思う。

祖父母は、馬見原が七歳のとき、悪性の風邪の流行によって肺炎を引き起こし、相次いで亡《な》くなった。日本がようやく国際連合に加盟できたというニュースが流れた年だった。馬見原にとって祖父母は、尺八や詩吟など趣味に生きる平凡な老人としか映っていなかった。戦前、彼らがどんな人生を送ったか、戦時中どんな苦労をしたのか、聞かされたこともない。

父と祖父が、仲があまりよくなかったこともある。ことに父が、祖父を嫌っている様子だった。そのくせ、祖父母の死後、父はいっそう怒りやすくなった。タガが外れてしまったように、家族の前でよく苛立《いらだ》ちを爆発させた。言うことをきかない、行儀が悪いと、馬見原もよく平手で打たれた。

つらかったのは、むしろ精神的な痛みだった。五十を過ぎたいまも忘れることができない。小学校三年生のとき、父の仕事を尊敬していると作文に書き、学内で小さな賞を受けた。だが、母からその作文を見せられた父は、おれの仕事の何がわかると、彼の目の前で作文を破った。

六年生のときには、四つ下の妹が、母の財布から金を盗み、馬見原がそれをかばった。父は、彼がかばったのを知っていて、仕事で使う手錠を彼に掛け、家の外に放り出した。おまえのやったことは盗みより悪いと言われた。おまえは親をだまし、そのくせ良いことをしたと、いい気になってる……。父が床《とこ》に就くまで、母も家に入れてくれず、手錠の痛みと屈辱とに、昔の家の庭で泣いた。

後年、彼自身が警察官になって、父が当時、職務上、厄介な時代を迎えていたのを知った。戦後の混乱がつづき、かつての秩序を保持したい人々と、新しい価値観を求める人々とのあいだで、様々な衝突が繰り返されていた。表向きとは別に、アメリカ合衆国政府の思惑と、日本国内の経済界や裏社会の野望とが重なり、複雑な状況下で、父も正義と公正のためだけに働ける状態ではなかったのだろう。汚職にまみれた特権階級を警護し、裏社会の利益を守るために身を張らされ、一方で、民間の貧しい若者を弾圧し、市民を犠牲にする政策のために駆り出されるなど、個人の感情とは矛盾する仕事も求められていたようだ。

父は、満州でかなりつらい目にあったと、母からは伝え聞いている。現地召集のあと、敗戦後は事情を知らされないまま兵役解除となり、上官が軍事物資を私物化し、民間人を残して日本へ逃げ帰る姿も目《ま》の当《あ》たりにしたという。なのに生活のためとはいえ、ふたたび軍隊と似た命令形態のもと、ときには公平とはほど遠い仕事を課せられ、いたたまれなかったのかもしれない。

馬見原の目から見て、父は自分が無力な人間であることが、耐えがたいと感じている様子だった。満州でのつらい体験を経て、彼なりに時代や社会に託すものもあったと思うが、日本という国はたぶん彼が願ったようには変わらなかったのだろう。

馬見原が十七歳のとき、父は急性の心不全であっさりと、恨みめいたことも、詫《わ》びめいたことも、むろん礼も言わずに、息を引き取った。

父の死後、警察共済の援助を受けて生活していたこともあり、彼は高校卒業と同時に、警察官の職を選んだ。母は外で働ける人間ではなく、妹はまだ中学生で、ほかに選択の余地はなかった。

母はそれをひどく喜んだ。もし彼が学生運動にでも参加したらと、悩んでいたらしい。母の心情は理解できたが、違和感も抱いた。そして、母は父のことを本当には理解していなかったと、理由はないが、漠然とそのときに感じた。

当時は米ソ冷戦のまっただなかだった。ベトナム戦争が泥沼化しつつあり、中国では文化大革命が起き、国内では経済復興が進んでいた。各地では反体制の闘争運動も起きていたが、社会が経済的に豊かになるに従い、全国民を巻き込むような運動は収束しつつあった。

警察学校を卒業してすぐ、都内で学生たちの大きいデモがあった。馬見原はその鎮圧に動員された。同世代の若者たちの、新しい形の自由と平等を求める考えに、一方でぼんやりとした共感を抱き、一方で甘いことを言っていると反発して、結果的にはそれを抑え込む行動をとった。

行動する若者たちへの負い目は胸にしまい、反発は公《おおやけ》の場で口にして、上司から与えられた仕事を積極的にこなした。警察官になって六年目、彼は刑事となるための養成講習を受けられることになった。仕事に打ち込む姿勢はもちろん、保守的な発言などにおいても先輩の受けがよく、幾つもの縁談も持ち込まれるようになった。何度か見合いをして、二十九歳のとき、警察学校の教官の娘である佐和子と結婚した。口数の少ない、慎ましいところが気に入った。

父の家を壊し、彼が新たに建て直した家で、長男が生まれた。勲男《いさお》と名付けた。男らしく育てるため、赤ん坊の頃から抱き癖をつけないよう、佐和子には注意した。息子が泣いても甘やかさず、三、四歳の頃からは言葉づかい、立ち居振る舞いにも注意した。剣道を仕込み、裸足《はだし》で体操をさせ、同居していた母が孫を甘やかそうとするので、母も叱《しか》りつけた。

そのかいあってか、息子は彼の期待どおりに成長した。目上の者を敬い、礼儀正しく、成績も優秀で、近所の者や同僚からも羨《うらや》まれた。

息子が周囲にほめられるたび、父のことを思い出した。おれの子を見ろと、父に言いたい心持ちだった。おれは息子の作文も読む。息子が誰かをかばったらほめる。だから、おれの息子はみんなが羨むような子になった……。

仕事も順調だった。捜査の勘も冴《さ》えて、彼のつかんだネタで殺人犯や凶悪犯を検挙できたケースが多々あった。試験にも合格し、警部補に昇進した。将来は、ノンキャリアの最高峰とも言われる、警視庁の捜査一課長になれる器だと噂《うわさ》された。巡査長という階級のまま、いらいらした一生を送った父を、見返せた想《おも》いだった。

そんななか、息子の勲男が突然に逝《い》った。

難関だった有名高校の入試に受かり、二週間後には入学式という日だった。

勲男は、中学時代の同級生たちと、卒業パーティーを開いた。友人の両親が不在だったため、その家に少年ばかり六人が集まり、煙草《たばこ》を吸い、酒を試した。勲男は初めのうちコーラでいいと断ったらしい。だが全員から、厳しい父親の言いなりであることをからかわれ、数杯のビールを飲み干し、やがてウイスキーまで飲んだという。勲男は、教師受けのする優等生だったが、次々と教師の悪口も言いはじめ、友人たちを驚かせた。

少年たちは酔った勢いで、卒業した中学校へ向かった。歩いて五分の距離だった。学校の裏手の駐車場に、スクーターが止まっているのを、誰かが見つけた。生徒を殴るので有名な生活指導の教師のものだった。キーが付いたままだったため、「川にでも捨てて来い」という言葉が出て、皆が笑った。

いつのまにか勲男がスクーターのシートにまたがっていた。彼は、何も言わずにエンジンをかけ、スクーターを発進させた。全員が、すぐに停まるだろうと思った。勲男は友人たちを振り返ることもなく、校門から出ていった。

その後、ヘルメットをかぶらずにスクーターを飛ばす勲男の姿が、多くの人に目撃されている。ある目撃者は、彼は笑っていたと言い、別の目撃者は泣きそうな表情だったと語った。彼のスクーターは、時速約五十キロで走っている途中、いきなりセンターラインを越え、向かってきたトラックに正面からぶつかった。

事故の瞬間、トラックの運転手は、正面から走ってくる少年が、両手をハンドルから離し、天へ突き上げるようにしたと証言した。

勲男が病院に運ばれていた頃、馬見原は、指名手配中の殺人犯の家を張り込み中だった。本部の連絡で、妻から電話があったと伝えられた。ふだん仕事場へは電話しないように注意していたため、不快感のほうが先に立ち、すぐに連絡を返さなかった。

ふたたび連絡があり、上司から病院に急行するよう命じられた。勲男が緊急手術を受けていた。思考をつかさどる部分が麻痺《まひ》した感覚だった。怖かったのかもしれない。同僚から帰ることを勧められても、張り込みをつづけた。

結局、張り込みは空振りに終わり、真夜中に病院に着いた。勲男は霊安室に移されていた。霊安室には、妻と娘、老いた母、妹夫婦、そして馬見原の上司もいた。

連絡を受けてすぐに病院に来ていれば、臨終には間に合っていただろうと、上司は言った。娘の真弓は、泣きはらした目で馬見原を睨《にら》み、「お兄ちゃん、謝ってたんだよ、お父さんごめんねって、自分が死にそうなときにさぁ」と訴えた。

妻の佐和子だけが、仕事だったのだから仕方がないと、彼をかばった。それがかえって苦々しかった。息子をはねたトラックの運転手に、佐和子を伴い、謝りにいった。運転手はしきりに申し訳ないと頭を下げたが、「懸命に仕事をされていたところを、申し訳ないのはこちらです」と、深く頭を下げた。

息子を失った悲しみや怒り、周囲への面子《メンツ》のなさなどを、馬見原はすべて佐和子にぶつけ、監督不行き届きだと責めた。彼女も厳格な家庭に育ったためか、夫に逆らうことを知らず、従順に彼の責めを受けた。

懸命に犯人を追って昇進も果たそうなどという気力は失った。そのくせ家にいるのはつらく、警察署内に泊まることが増えた。真弓のことは、しぜんと佐和子に任せる形になった。男親として、娘に遠慮もあったし、甘えもあった。息子を亡《な》くしたショックは、自分が一番大きいのだから、妻も娘も老いた母も、それを汲みとり、個々でちゃんと生活しろと、無意識のうちに求めていた。

まず母が倒れた。脳内出血だった。命はとりとめたが、長期の入院を余儀なくされた。次に、真弓が化粧品を万引きして補導された。勲男が死んだ翌年のことだった。馬見原は、真弓ではなく、佐和子の頰を打った。それを見た真弓が、卑怯者《ひきょうもの》と叫んだ。家庭が壊れつつあるのを肌で感じながら、彼は仕事に逃げた。だが、いくら犯人を挙げても満足感からは遠く、大きな事件しかまじめに捜査しない態度が組織捜査から浮き、上司から幾度となく注意されるようになった。

真弓は高校進学後、非行行動が激しくなり、ディスコのトイレでマリファナを吸っているところを補導された。連絡を受けて所轄《しょかつ》署に駆けつけた馬見原に、真弓は唾《つば》を吐きかけた。頭に血がのぼり、彼女の頰を激しく打った。真弓は泣きもせずに睨み返してきた。息子の死や、母の病気の鬱積《うっせき》など、すべてをぶつける勢いで、彼はさらに娘を打った。

そのとき馬見原の頰を叩《たた》いた人物が、氷崎游子だった。彼女は、当時児童相談センターに勤めてまだ二年目だった。彼女は、馬見原を押しのけるようにして、真弓を医務室へ連れてゆき、以後、児童相談センターが介入して、真弓の問題行動の解決がはかられることとなった。

しかし、児童相談センターが設ける話し合いに、彼は一度も参加しなかった。家族のことに、他人が口をはさむのが我慢ならなかった。ことに倍近くも年下の游子に、わかったようなことを言われるのが癪《しゃく》だった。

破局の連絡は、翌年に来た。

真弓は、大人が誰も知らないうちに、暴走族に入っていた。対立するグループと喧《けん》嘩《か》になり、同じメンバーの少年がナイフで刺されたとき、そばにいた真弓がとっさに相手を刺し返した。

双方とも命に別状はなかったが、真弓の刺した相手は全治二ヵ月の重傷だった。真弓は少年院送致となった。馬見原は上司に進退伺を提出した。次の異動の時期、彼は本庁から所轄へ回され、以後ずっと刑事捜査の一線からは遠のくこととなった。

恥辱と悔恨に気持ちが乱れ、亡き父親の嘲笑《ちようしよう》を聞いたように思った。やり場のない怒りは、やはり佐和子に向かった。

佐和子は、彼をつねに笑顔で迎え、退院した母の介護もこなし、真弓への面会も足しげく通っていた。彼女なりに、懸命に家族を支えようとしていた。なのに彼は優しい言葉ひとつかけなかった。彼女の神経がとうとう悲鳴を上げた。

その日、馬見原はいつもと変わらず、夜遅くに帰った。家のなかに明かりはなく、玄関に鍵《かぎ》は掛かっていなかった。廊下の電灯を点《つ》け、妻の名を呼んだが、返事はない。寝室を見ると、老いた母が布団《ふとん》のなかで目を開いていた。老母は、馬見原を見上げ、「おかあちゃん、おなかすいたよぉ」と訴えた。

彼は、腹立ちをこめ、佐和子を呼んだ。台所から物音がした。

佐和子は、台所の床の上に座り、うなだれていた。彼女の前には、ずっと昔に家族五人が旅行したときの写真が置かれていた。その横に包丁が転がって、彼女の左手首からは血が流れていた。佐和子は、焦点の合わない目をして、低くつぶやきつづけていた。

「すみません、すみません、わたしのせいです、わたしがいたらなかったせいです」

彼女は一命をとりとめ、手首の傷が癒《い》えたところで、精神科の病院に入院した。

馬見原の母も、つてを頼って、老人保健施設に受け入れてもらった。

少年院にいた真弓のもとへ、馬見原は初めて面会に出向き、母親の自殺未遂と入院、祖母の施設入所について伝えた。真弓は、自分の前の机をひっくり返し、彼につっかかってきた。

「てめえのせいで、家族みんな、めちゃくちゃだよ。お母さんを返せ、おばあちゃんを返せ、お兄ちゃんを返せよ。この人殺し。てめえが死にゃよかったんだ」

真弓は、涙を流しながら彼の胸を突き、頬を打った。馬見原はされるがままでいた。真弓は、職員に引き離されるまで暴れつづけ、以来彼と会おうとはしなかった。

佐和子は一年後に退院した。病気の意識がないため、薬の管理を注意するよう、馬見原は医師からきつく言い渡されていた。

だが、当時の彼は、なんとか所轄で成果を挙げ、もう一度、本庁の捜査一課に戻ることを願っていた。その上、知り合いの家庭裁判所の調停委員から、相談に乗ってやってほしいと、ある女性を紹介された時期でもあった。

その女性が、冬島綾女だった。彼女は、暴力団員の夫が子どもを虐待《ぎやくたい》するため、離婚を求めていた。だが相手は、離婚する気がなく、それどころか配下の組員を使って調停委員をひそかに脅すようなことまでした。

男の虐待行為は、明らかに思えた。だが、男は認めず、子どもの証言も得られなかった。馬見原は、男を詐欺《さぎ》と恐喝の別件で逮捕し、検察の協力もあって、なんとか懲役刑に持ち込んだ。さらに、男の属する暴力団の弱みも調べ、幹部レベルの人間と話をつけて、男に離婚と親権放棄を認めさせた。

その間、佐和子への注意はおろそかになった。彼女は、病気はよくなったと言い張り、真弓と義母への面会に通うなど忙しく動き回って、薬を飲むこともやめていた。

そうして退院から五ヵ月後、佐和子は風呂場《ふろば》でまた自殺を図り、再入院した。

あれからほぼ二年、ようやく彼女の退院が決まった。今度こそ、しっかり看《み》てやらなければならない……。

重しの外れた記憶が、ようやく馬見原の内側の深いところに落ち着いた。だが、何かあれば、ふたたび浮かんで、彼を責める機会を狙《ねら》っている。

柔道場の冷たい鏡に背中を預け、窓のほうへ視線を向けた。湿気のためか、彼自身の汗によるのか、窓ガラスが曇り、外の明かりがかすんでいる。

幻世《まぼろよ》という言葉がある。

彼の母は、結婚前に、短い期間だが教壇に立っていたという。その母から父が亡くなったとき、この言葉を教わった。父の遺体を前に、「幻世だからねえ」と、母はつぶやいた。あの世のことを言っているのだと思った。だが聞くと、はかないこの世界のことだった。いまもときおり、母の「幻世だからねえ」という言葉が、耳の奥によみがえってくることがある。

窓の外の明かりは、ぼんやりとにじみ、ちょうど遠い幻の灯のように見えた。

【四月二十九日（火）】

目覚めたとき、周囲は完璧《かんぺき》な闇《やみ》だった。人の気配はなく、音も聞こえない。だが、不安よりも、ひとりで暗闇のなかに横たわっていられることに、亜衣はほっとした。

昨夜、家に戻ると、彼女は二階の自分の部屋に上がり、着替えもせず、ベッドにもぐり込んだ。母はタクシーのなかでは黙っていたが、家に帰ってからは、しゃべりどおしだった。母の言葉は、水中から外の声を聞いているようだった。言葉の意味を聞き取るために、意識をしっかりさせることが、亜衣はいやだった。

布団《ふとん》を頭からかぶり、やがて肉体的な疲れか、精神的に消耗していたのか、知らないうちに意識が遠のいていた。だから、ここは彼女の部屋であり、いまはまだベッドのなかだろう。

自分に何が起きたのか、昨夜何をして、なぜこれほどまでに疲れ、また頭が痛むのか……亜衣は理由がわからなかった。

わかろうとすることを、やめていた。何が起きたのか思い出しそうになると、胸の内側が熱くなり、吐き気さえもよおす。危ない、やめて、と自分に言い聞かせ、何も考えないようにして、また目を閉じる。

そのうち、また眠りに落ちたらしい。目を開くと、窓に掛かったカーテンが明るくなっていた。下腹のあたりに鈍い痛みを感じた。トイレに行きたかった。からだを起こすと、頭がずきりと痛み、倒れ込むように枕《まくら》に頭を戻した。

そうして、また眠ったのだろう。枕もとの目覚まし時計のベルが鳴った。

起きたくない。外の世界になど出たくない。目覚まし時計のベルを止めるのさえ、面倒だった。学校なんて行きたくない。無人の町を歩くならまだしも、一人でも人と出会う可能性があるなら、家から出たくなかった。だが、時計のベルはやまない。延々と鳴り響くかのように感じる。無理をしてからだを起こし、目覚ましのスイッチを切った。

午前七時十分。ふだんなら、起きて登校の準備をはじめるところだった。ぐずぐずしていると、母に下から険しい声で呼ばれ、それでも降りないと、何やってるのと、ノックもなしに部屋に入ってこられる。そうしたおりの母の声や表情が、亜衣はいやでたまらない。だから、最近はずっと呼ばれる前にダイニングに降りるようにしていた。

亜衣は布団のなかに戻った。叱《しか》られてもかまわない。理由を訊《き》かれたら、頭痛か腹痛を言い訳にしよう。でも……もしかしたら今日は休日だったかもしれない。ゴールデンウィークに入っていたはずだ。ほっと安堵《あんど》の息をついた。緊張から解放され、からだがほかほかと温かくなる。力が抜ける。意識も心地よく遠のいた。

亜衣、亜衣、亜衣ちゃん、起きなさい、起きて、亜衣ちゃん、亜衣ったら……。

呼ばれているのは、少し前から気づいていた。だが、返事をする力を何ものかに奪われている感じだった。肩のあたりに、手を置かれた感触がある。からだを揺さぶられた。布団をめくられたことが、からだが軽くなった感覚と、肌寒さからわかった。

すぐそばで、小さな悲鳴が聞こえた。

どうしちゃったの、亜衣、あなた、ねえ、おしっこしちゃったの……。

不安そうな声だった。言葉の意味が、よく理解できない。霧がかかったような意識の向こうで、ぼんやり何かが形をあらわす。おしっこという言葉の意味が、まだ具体的にならないのに、〈恥ずかしい〉という感情だけが大きく膨らんでゆく。

亜衣は、目を開け、静かにからだを起こした。

見たことのない表情をした母がいた。驚いている。怒りも混じっている。だが、それ以上に恐れているように見えた。母が恐れている対象は、亜衣自身らしい。

でも、どうしてわたしが、ママから怖がられるの……。

どういうこと、亜衣、本当にあなた、しちゃったの？　気づかなかったの？　あなた、十五なのよ、ああ、もう、どうしよう。

母が自問するようにつぶやく。彼女は、ドアのほうを振り返り、また亜衣のほうに顔を戻した。

先生方がいらっしゃってるのよ、昨夜のことで話を聞きたいって、いらっしゃったの。亜衣は休んでますって言ったけど、今後のこともあるから直接話を聞きたいって、昨夜の巣藤先生や、担任の鈴木先生、教頭先生、あと生活指導の先生もいらっしゃってるのよ……なのにあなた、それじゃあ降りてこられないじゃない。こんなときにかぎって、パパは出張だし……とにかく着替えなさい。そのままじゃいられないでしょ。それともあなた、本当に起きられないの？　急におかしいものねえ、病院に行く？

母の言葉が具体的に伝わってこないことを、亜衣はもどかしく感じる一方、その声が、固く、性急で、余裕がないのを、不安に感じた。そんな声、聞きたくない……。

亜衣は首を横に振った。

いいのね、本当に病院、行かなくていいのね？　行かなきゃいけないんだったら、ちゃんとそう言わないと、ママわかんないわよ。

亜衣はもう一度首を横に振った。

だったらママ、降りるわよ……あんまり待たせてると、変に思われるから、まだ熱があるってことにしましょうか。起きてこられる状態じゃないって話すから、あなた、音を出さないのよ、ああ、泣きたくなっちゃう。

母は、実際に涙ぐみ、部屋から出ていこうとした。

待って、ママ、行っちゃいやだ、ひとりにしないで……。

亜衣は叫ぼうとした。だが、声が出ない。彼女は母のほうへ手を伸ばした。

だが、母は気づかずに出ていった。

亜衣は、伸ばした手の置場を失い、からだの脇《わき》に下ろした。手のひらが濡《ぬ》れるのを感じた。手をベッドから離し、シーツを見下ろす。黒い染《し》みが自分の周りに広がっている。額の裏側が熱くなった。

布団をはねのけ、転がり落ちるようにベッドから下りた。着ていた服の半分と、下着は完全に濡れていた。臭気も感じる。声を上げそうになった。振り返って母を探した。だが、部屋には彼女しかいない。

「どうして……」

自分のつぶやきが、耳の外から聞こえた。

亜衣は、濡れた下着のまま、ドアのところへ進んだ。ドアの隙間《すきま》から、母が一階で話をしている声が聞こえてくる。

「いえ、大したことはないんです」

笑いをふくんだ明るい声だった。

それに対し、数人の声が返ってくる。母がさっきより明るく笑った。

「いいえ、お気をつかっていただき、ありがとうございます」

亜衣は母を呼ぼうとした。

なんで笑ってるの、なんでお礼なんか言ってるの、わたし、ここでつらいのに……。

湿った服が不快で、その場で脱ぎはじめた。下着も脱ぎ、ベッドのほうへ投げつける。裸のまま、部屋の中央に立った。

いま大声でわめけば、きっとママが困る、いいよ、いやな思いをさせてやればいいんだ……。

なのに、喉《のど》が何かで押しつぶされたように、ひと声も発することができなかった。

何もできないことが悔しく、また情けなく、亜衣は口を大きく開けて、声の出ないままに泣いた。

【四月三十日（水）】

馬見原は、午前中、杉並署内で書類仕事に専念し、昼過ぎ、傷害事件を起こした容疑者の供述内容を確認するため、外出した。

小雨がずっとつづいており、初夏の昼下がりなのに、肌寒い日だった。新大久保の駅で電車を降り、新宿方面に向かって歩いた。商店街でひとつ供述の裏を取り、人けのない昼間の飲み屋街を抜けてゆく。途中で角を曲がり、すぐに狭い路地に身をひそめた。ほどなく足音がして、目の前を慌《あわ》てた様子の影が通り過ぎていった。相手の足音が止まったところで、

「ほかのケツを追えと言っただろ」

馬見原は煙草《たばこ》をくわえた。

椎村が恥ずかしげに戻ってきた。

「気づいてらしたんですか」

「象が尾《つ》けてくんのかと思ったぜ」

「警部補の仕事を見たかったものですから。課長に頼んで、時間をもらいました」

馬見原は、甘さの残るにきび面《づら》に煙を吹きつけ、

「時間のむだだ、帰れ」

「連れてってください。しっかり仕事を覚えて、いい刑事になるつもりです」

吸いかけの煙草を指ではじいた。煙草の先端が、椎村の手の甲に当たった。椎村が声を発して、傘を落とした。

「二度と言わんぞ。別の馬に乗り換えろ」

睨《にら》みをきかせて椎村の足をとどめ、馬見原は路地を奥へ進んだ。二度ほど角を曲がり、安っぽいソープランドの門をくぐった。受付に人はいない。玄関を入ってすぐ左手の待合室から、古いシャンソンを口ずさむ女の声が聞こえた。

声を追って進むと、待合室には紐《ひも》が渡され、洗濯したての黄色いタオルが掛けてある。タオルの向こうに、赤いサンダルをはいた筋ばった足が見えた。

「相変わらず、ピアフか」

馬見原は声をかけた。

「ウマちゃん？　久しぶりじゃない」

タオルをのれんのように押し分け、紫色のネグリジェを着た女が顔を見せた。

営業中は、長い睫毛《まつげ》を付け、アイラインで目を倍以上に大きくしているが、いまは化粧を落としているため、皺《しわ》が目立って、目もしょぼつき、ずいぶん老《ふ》けて見える。

彼女は馬見原と同い年だった。

「頼まれてほしいんだがな」

待合室のソファに腰を下ろし、用件を話した。

「相変わらず人使いが荒いのね」

彼女は、理由を問うこともなく、手のひらで彼の膝《ひざ》を打って、表に出ていった。

馬見原は、待合室の冷蔵庫から缶ビールを勝手に出し、窓際《まどぎわ》に立った。窓の隙間《すきま》から、椎村がうろうろと歩いてくる姿が見える。

「おにいさん、こっちよ」

女が声をかけた。

椎村が、不審そうに彼女のほうを見て、

「いま、男が通らなかったか」と訊《き》いた。

「あたしの男は、おにいさんだけよ」

「五十くらいの、がっちりした感じで」

と椎村が言うのを、女は最後まで聞かず、

「どんな男だって、あたしの前を素通りなんてできやしないよ」

と、椎村の手を握り、自分の胸に引き寄せた。もう一方の手で彼の股間《こかん》も撫《な》でる。

椎村は、慌《あわ》ててからだを引き、

「ふざけるな。逮捕されたいのか」

「あら、お見かけしないけど、どこの署からいらっしゃったの。逮捕なんてできるのかしら？」

管轄《かんかつ》が違うこともあり、椎村は口ごもった。

「このあたりで下手に問題起こすと、あとで出世に響くんじゃないの」

女が忠告するように言うと、椎村は憤然としながらも、通りの向こうへ走り去った。

馬見原は、缶ビールを開け、ソファに腰を落ち着けた。女が戻ってきたところで、

「すまんな」

と、礼を言った。女は、答える代わりに、馬見原の前に尻《しり》を突き出した。尻をぶつと、彼女は軽いしなを作って、

「後ろからなら、二十《はたち》の娘と変わらないって、けっこう評判なのよ。いまの、ウマちゃんの新弟子？」

「弟子をとるほど、真剣にやっちゃいない」

彼女に煙草を勧めた。

「禁煙してんの。最近呼吸《いき》がしんどくてさ。年かね」

女は気弱そうに笑った。「でも、ウマちゃんが、あのくらいのときなら、逆にぐいぐい指を突っ込んできたろうね」

「そんなばかするかよ。ところで、ガキは置いてねえだろうな」

「ウマちゃんが回る店で、雇えるわけないでしょ」

「念のためだ」

女も冷蔵庫からビールを取って、

「おかげで、うちは干上《ひあ》がってる……若い子のいる店に、客は流れるからね。この国の男たちは、ロリコンだからさ、女は三十五過ぎ、四十からが本物って、全然わかってない。シャンソンを教えてくれた詩の先生、もう亡《な》くなったけど、女に対する男の嗜好《しこう》で、国の成熟度は計れるって言ってた。それは本当だな」

「ガキ使って繁盛《はんじょう》してるのは、どの店だ」

「仁義もあるから、勘弁してよ」

女は馬見原の向かいに腰を下ろした。

「まあいい、てめえで探すさ」

「新宿を？　渋谷、池袋、六本木も回る？　どこも管轄外でしょう」

「ガキが食い物にされてるのに、管轄がどうのと言ってられるか」

女は笑ってビールに口をつけた。

「テレビをつけてみなよ。ガキにちゃらちゃらした恰好《かっこう》させて、パンツが見えるの、胸のカップがEだFだと、みんな大騒ぎだよ。子どもへのセクハラが堂々と全国放送されてる国なんだから。いまさらガキの風俗は御法度《ごはっと》なんて、まじめな少年係だったら、ウマちゃん、ひと月で過労死だね」

「とにかく、おれが現役のうちは、ガキで稼ぐのは許さんよ」

「あきらめなさいな。風俗やってるガキが、みんな食い物にされてるわけでもないしさ。自分から雇ってくれって来るんだから」

「追い返せばいい」

「先々こうだよって、ベテラン連中が裸でも見せるか？」

女はネグリジェの前を開いてみせた。乳房は張りを失い、あばら骨が浮いて見える。下腹も突き出し、陰毛がきれいにカットされているのが、いっそ痛々しかった。彼女もわかっている様子で、寂しげにウインクをし、

「ウマちゃんさ、いまの子は十五、六のうちから、ダチ同士で客を紹介し合ったり、

メールで男と待ち合わせたり、もういろいろ経験してんのよ。けど、山んなかへ連れてかれたり、ナイフを突きつけられたり、危ない目にもあうわけでしょ。プロのほうが安全で、金もちゃんとしてるからって、来るのよ。追い返したって、意味ないって。小学生が援助交際する時代だよ。買う奴《やつ》は、超のつくクソだけど、日本はもうそこまで来てんのよ。選挙権持ってるみんなでそうしてきたわけでしょ、儲《もう》けてなんぼの国に。いまの子が悪さしてまで金を欲しがっても、文句は言えないよ」

馬見原は、古い煙草を消し、またすぐ新しくくわえて、

「どうして、ガキがそんなに金が要る」

女が冷蔵庫の上に置いてあるテープレコーダーのスイッチを入れた。エディット・ピアフのシャンソンが流れる。情感豊かな歌声に、女はしばらく耳を傾けてから、

「本当はお金じゃないのよ。ダチと一緒にいたい、仲間に自慢する服を買いたい、ホストに貢《みつ》ぎたい……。自分の存在を認めてくれる誰かのそばにいるための、引換券みたいなもんじゃないの」

馬見原は苦々しく煙を吐いた。

「からだを売るような真似《まね》をして、人に認められると思ってるのか」

「あら、ご挨拶《あいさつ》じゃない」

「一般にって意味だ」

「一般人こそ、もっとあたしたちを認めたらどうよ。戦後、あたしらの先輩がいなかったら、占領軍相手に清き婦女子はどんな目にあったと思う？　ＧＩから巻き上げたドルで、経済的な戦後復興も可能になったんだから。そういうことも教科書に書けるようになったら、ちょっとはこの国も変わるよ。あたしらの代でも、警察学校や自衛隊の教官が若い連中を連れてきてんだから、国への貢献度は高いんじゃないの」

「機会があったら、感謝状を出すよう上に申請しとくさ」

女は、シャンソンの一節をくちずさみ、

「ガキはさ、自分の仲間以外、人間と思ってないんだよ。仲間以外の奴にどう思われようと関係ないって、心を切り離してんの。だから中年のくさい汗も我慢できるんだよ」

「寂しいなら、家に帰ればいいだろ。家族がいるはずだ」

「ウマちゃんが、それを口にする？」

「どういう意味だ」

女は、歌に聴き入っているふりをして、答えなかった。

馬見原は、結婚前の二十代半ばの頃、摘発に向かった風俗店で、働いていた彼女と知り合った。彼女ひとり、ほかの女たちとは違う、強い意志のこもった理知的な目をしており、心に残った。なぜこんな仕事をするのか、きみには似合わないと、柄にもなく説教をした。女が笑い、かっとして叩《たた》くと、女はすぐに叩き返してきた。何度か会ううち、友情にも似た、深い精神的な関係で結ばれた。のちに、彼女は反体制の運動家だったとわかった。風俗で稼いだ金を、運動家の愛人に渡していた。結局彼女は裏切られ、男を刺して、重傷を負わせた。出所のとき、馬見原は迎えに行った。一晩だけ共にして、彼女は消えた。人妻になったという噂《うわさ》も聞いたが、次に会ったとき、彼女はもう水商売の世界に生きる肚《はら》をくっていた。裏社会の情報の交換など、ネタ元として、彼女とはずっと仕事の関係がつづいている。唯一《ゆいいつ》、彼が心情を吐露できる相手でもあった。いつどういう経緯で話したのかも覚えていないが、彼が息子を亡くしたことも、娘が少年院に入ったことも、妻が入院したことも、彼女は知っている。

女は、肩をすくめて、こちらを振り向き、

「いろんな事件を見てきたでしょ、ってことよ。背景に、家族関係がまったく影響してない事件なんて、実際どれほどある？」

「なんでも親のせいか」

「影響があると言ってんの。影響のことを言うと、責任まで問われた気で、反発する連中が、ことに男には多いけど……それって罪悪感？」

「からむ気か」

女は、笑って、ソファのところに戻った。

「誰だって、居心地の悪い場所なら出ていくし、暖かく迎えてくれる場所なら戻りたくなる……基本的には、そういうもんでしょ」

「うるさい親より、ばかな中年におもちゃにされるほうが、ましなのか」

「そのくらい、傷ついてるってことかもね」

「それで傷が治るのか」

「傷に塩をすりこみたい気分のときもあるわけよ。自分なんて所詮この程度のもんだって……若いときは、わかんないのよ。自分の衝動の、本当の原因が。よくわからないまま、わが身を軽く扱ってるんだな、これが……」

馬見原は、煙草を灰皿でつぶし、

「とにかく、ガキの売春に手を貸す真似はしてくれるな。いまさらぶち込みたくはない」

「ぶち込まれたいけど。ウマちゃんのなら」

「嘘《うそ》をつけ」

ふたりの視線が一瞬からんだ。

女のほうから視線をそらした。

「ウマちゃん、あんまりまじめに考え過ぎないで、適当に楽しまないとだめだよ。セックスのことを隠したり、悪いことのように言ったりするから、結果的にゆがんだ人間を作るんだから。ヒミコ姉さんなんて、今年で六十五なのに、官庁の連中のオムツを換えてあげるだけで、稼ぐ、稼ぐ。国を動かしてる連中が、高級ホテルのスイートでさ、オムツしてもらって、ママぁって、お洩《も》らしの世話をされるのを楽しんでんのよ。先進国ぶってるけど、セックスの劣等感を仕事で復讐《ふくしゆう》してるインテリは多いよぉ。セックスの劣等感は、国を滅ぼす力もあると思うな」

馬見原は鼻で笑った。

「早く知ってたら、あの頃、運動の仕方も違ったか」

「本当ね」

女も皮肉っぽく笑った。

「話は違うが、油井を見かけないか。早地《はやち》のところで経理を担当してた男だ」

「ああ、子どもにひどい怪我《けが》させた奴ね」

「外に出たらしい」

「まだ二年かそこらじゃない。子どもの頭の骨を折って、そんなもん？」

「入ったのも、別件だからな」

「そうか……そういうものらしいもんね」

「奴を見かけたら連絡がほしい。たぶん遊び歩くだろ。東京には、いさせたくない」

「いいよ。女の子たちに声かけとく。大きい街で遊べば、誰かに引っかかるでしょ」

「礼は、またする」

「あてにしないで待ってるよ。で、ウマちゃん、奥さんは」

「……ああ、三日後に退院だ」

「あら、本当。よかったじゃない。おめでとう」

彼女の屈託のない笑顔に、馬見原もささやかだが救われた気がした。

「あたしを振って、貰ったオカーチャンなんだから、大切に見てあげなきゃね」

「そのつもりだ」

馬見原は、立ち上がって、彼女のもとへ歩み寄り、軽く肩を叩いた。女は、ビールを飲みつつ、彼の尻をぴしゃりと打った。

小雨が打つ路地を幾つか抜け、誰にも尾《つ》けられていないことを確認して、アダルトビデオの販売店や、いかがわしいスナックの入ったビルの裏側に回った。

裏口には、ビールの空箱や、使い終えたおしぼりの箱が積まれている。狭い階段は、上へは従業員しか昇れないよう紐《ひも》が渡され、地下へ降りる手前に、『会員制　男性専門マッサージ』と小さな看板が出ていた。

馬見原は、約束した時間よりも早く、階段の脇《わき》に立った。五分ほどすると、髪を金色に染めた娘がだらだらのぼってきた。ピンクのミニドレスの上に、灰色のコートをはおり、とろんとした目でこちらを見上げ、

「あ、いらっしゃぁい」と言う。

派手な化粧で年齢を隠そうとしているのがうかがえた。

「なかに、いっぱい若い子がいるから」

娘は気だるそうに言って、通りのほうへ出てゆこうとした。

「おねえちゃんとは、どうなんだい」

馬見原は訊《たず》ねた。

「あたし？　悪いけど、食事……つうか、ちょっと休憩なんだよね」

「人が来るから、外に出てろと言われたんじゃないのかい」

「あれ、なんでわかんの。もしかして、おじさんのこと？　挨拶して損したわけ？」

馬見原は、彼女の細い腕を取ると、引きずるようにして階段を降りていった。

「やだ、ちょっと何すんの、やめてよ」

娘は口では言ったが、階段を怖がってだろう、ほとんど抵抗しなかった。

彼女の腕をつかんだまま階段を降り、ビル全体の雰囲気からは不似合いな、瀟洒《しょうしゃ》なドアの前に立った。監視カメラもインターホンも無視して、ドアを開く。店は、内側も清潔感のある内装がほどこされていた。

彼は、毛足の長い絨毯《じゅうたん》を踏んで、娘を正面の受付カウンターへ突き離した。カウンターのなかにいたタキシード姿の男が、慌《あわ》てて壁のボタンを押した。

「年は幾つだ」

馬見原はあえて娘に訊《き》いた。

彼女は、カウンターにもたれて腕を撫《な》で、

「っせえな、バカ」と、ふてくされたように言う。

「二十《はたち》っすよ」

タキシード姿の男が代わって答えた。

「何よもう。こういう変態は、叩きだしてくれるって約束だったじゃん」

娘が監視カメラに向かって言った。

店の奥に通じる廊下の先に、出入りを禁ずる形で、金色の衝立《ついたて》が立っている。それがいきなり開いて、三十代半ばの、小柄だが、胸板の厚い男が現れた。身長に比べて顔が大きく、鼻がとくに目立つ。イタリア製らしい上質のスーツを着て、髪は整髪料でいやみに固めていた。

「お嬢ちゃん、こっちに来てくれる？」

男がよく通る高い声で言った。

娘がしぶしぶ歩み寄っていく。

男は、上着の内ポケットから革の財布を出し、一万円札を十枚ほど抜いて、

「今回は、採用見送りってことで、黙って帰ってもらえるかな」

男は、笑みを浮かべながら、険しい目で相手を睨《にら》んだ。上着の下の胸が、ぐっと盛り上がったように見える。娘は身を縮めて、突きつけられた金を受け取った。

「さあ、服を着替えて」

男に言われ、娘は衝立の向こうへ去った。彼は、馬見原に軽く会釈《えしゃく》をして、

「今日はわざわざお越しいただきまして。しかし、三十分以上時間が早いようですね」と、明るい口調で言った。

「いまの娘は」

「家出らしいんです。誰に聞いたのやら、いきなり雇えって店に来ましてね。このま

ま帰しても、どこかの阿呆にシャブ漬けにされるだけだと思いまして、ひとまずシーツ交換でもしてもらおうかと……」

　馬見原は、男に歩み寄り、左頬を拳《こぶし》で殴った。男は、後ろによろけ、通路の壁に背中をぶつけた。が、すぐに何事もなかったように体勢を立て直し、表情も変えず、

「そんなこんなで、年齢もちゃんと聞いてなかったんですよ」

　今度は相手の右頬を殴った。男は二歩後退しただけだった。唇を切ったようだが、愛想笑いを崩さない。

「さあ、こちらへどうぞ」

　彼は、殴られた素振りも見せず、馬見原を奥に誘った。金色の衝立の先は、絨毯の色が緑から真紅に変わっていた。廊下の両側には、個室が五つずつ並んでいる。個室の前を通り過ぎると、また金色の衝立があり、その奥の右側にトイレ、左側の部屋に『スタジオ』とプレートが掲げられていた。その部屋のドアが開いて、ジーンズと薄手のブルゾンに着替えた、先ほどの娘が出てきた。

　男は、彼女の肩を抱くようにして、

「お店のことは、誰にも話しちゃだめだよ」と、柔らかい声で言う。

　娘は小さくうなずいた。男は、娘の耳のピアスにふれ、ゆっくり外しながら、

「紹介した人に、迷惑がかかるのはいやだろ？　口で返事をして。ここのことは？」

「……忘れた。何も言わない」

娘はおびえた目で男を見て答えた。

「じゃあ、家に帰るんだ。無関心な親がいやなら、自分は捨て子で、本当の親は死んだと考えることにしたらいい。酔って殴る親なら、本当の親はやっぱり死んだと考えて、金だけ取って、毎日のメシに何かを混ぜたらどうかな。性的な虐待《ぎゃくたい》を受けてたら……警察は役に立ってくれますかね？」

男が馬見原を見た。答えを求めたわけではなく、また目を戻して、娘のピアスを彼女のブルゾンのポケットに押し込み、

「帰って、きみはひとりで戦え。良識ある大人と呼ばれる連中は、きみのためにきっと何もしてくれない。自分の庭先から、つらそうな顔した人間を追い払いたいだけだ。そんな連中に負けるな。卑屈にならず、元気でやって、いつかまた遊びにおいで」

男に背中を押され、娘は衝立の向こうへ去った。

「ご大層な演説だな」

馬見原は吐き捨てた。

男は、眉を上下させ、

「あと数年もしたら、彼女は戻ってきて、うちのナンバーワンかもしれませんよ」

馬見原は、娘が出てきた部屋のドアを勝手に開けた。部屋の半分にロッカーが並び、もう半分には畳が敷きつめられている。ピンク色のミニドレスを着た五、六人の女が、漫画を読んだり、イヤホンで音楽を聴いたり、テレビゲームをしたりしている。全員が、馬見原に気づき、表情を固くした。若い女ばかりだったが、十八歳以下ということはなさそうだ。半数は外国人女性で、ひときわ緊張した様子だったが、男が合図をしたため、それぞれまた自分の世界へ戻った。

「馬見原さん、こちらへ」

突き当たりの壁が、鉄製の扉となっており、男が押すと扉は静かに開いて、広い部屋があらわれた。高級なソファや、大理石のサイドボードが置かれ、部屋の片側にはテレビモニターが十台ほど並んでいる。

馬見原は革のソファにわざと荒く腰を落とした。

男は、シルクのハンカチで唇の端を拭《ふ》き、

「一昨日《おととい》の夜は、どうもありがとうございました。おかげで助かりました」

うなずく程度に頭を下げて、彼の正面に腰を下ろす。

「長峰よ、ほかにも、ガキがいるんじゃねえのか」

馬見原はテーブルの上の外国製の煙草《たばこ》を手に取った。

「見てもらって結構ですよ」

長峰がモニターのスイッチを入れた。先ほど通った個室内の様子が映し出される。

六つの部屋に客が入っており、簡易ベッドではマッサージとは名ばかりの、まさに性行為がおこなわれていた。女たちは、やはり若かったが、未成年者はいないようだ。

外国の女性が三人いる。

「ちゃんと払ってやってんのか」

モニターのほうへ顎《あご》を振った。

「安っぽい真似《まね》はしてませんよ」

「おまえが代わって故郷に送金してやれ。ブローカーに取られる分が浮くだろう」

「こっちが寝込みを襲われますよ。海外の連中とは誠実につき合っていかないと、シノギもうまくいきません。表社会と同じで、グローバル化が進んでますからね」

長峰が、テーブルの端に置いてあった厚手の封筒を、こちらへ差し出した。

「あのカジノは、官僚や外資系の企業の方々も、おとくいさんですから。今後のビジネス展開を考えても、いまつぶされると、正直痛かったんです。また何かあるようでしたら、よろしくお願いします」

馬見原は、封筒のなかに一万円札が百枚、帯封をしたまま入っているのを確かめ、背広の内ポケットに押し込んだ。

「長峰、油井は戻ってきてるのか」

「……兄貴ですか」

「出たのはわかってる。戻ったんだな」

長峰は、焦《じ》らすつもりか、殴られた顎の具合を確かめるように左右に動かし、

「確かに組に挨拶《あいさつ》に来られました。長々ご苦労さまということで、軽く一杯やりましたがね」

「早地はどうするつもりだ、油井のことを」

「組内のことまで、口を出すんですか」

「早地とは、前に話がついてる」

「……馬見原さんに言われたとおり、東京から遠ざけておく方針みたいですけど」

「油井は納得したのか」

「さぁ、兄貴の心の内までは」

「きっと納得させろ」

「兄貴が留守のあいだ、モノにした女を、ふいにしたくないってわけですか」

長峰が、目をそらし、あざけるような笑みを浮かべた。

馬見原は、ソファから腰を浮かせて身を乗り出し、彼のスーツの襟をつかんだ。

長峰は、少しもひるまず、

「すみませんが、この服、少々値が張るんですよ。オーダーするのも予約待ちってやってでしてね」

馬見原は、相手の胸ポケットに手をかけ、思い切り引き裂くように力を込めた。かすかに生地の裂ける音がした。

「油井が近くをうろついててみろ。取り引きは終わりだ。ちんけなタレコミ程度のことじゃない。臨海地域のビル開発のために用意した裏金の入手経路。闇金《やみきん》の資金を出させてる企業名。長年親交を深めてきた代議士連中の名前と、奴《やつ》らの脱税用に使われてる戸籍や登記簿の仕入れ先……つかんでないと思うなよ。たかる気はないが、油井を放っておくなら、損得抜きで、つぶしにかかる。雑魚《ざこ》のあがきでも、それなりの傷は負わせられるぜ」

長峰は、さすがに恨みがましい目で、裂けた胸ポケットの部分を見やり、

「融資先を引っ張ってきたり、利子をつけて金を貸したり、政党へ献金して融通をきかせてもらったり、子会社に金を散らして黒字を減らしたり……どこの企業もやって

ることでしょ。わたしら上場企業の真似事《まねごと》してるだけですよ」

「あと、そうだ……おまえらのヤクの仕入れと加工の経路、こないだ変えたろ？」

「つかんだ情報ごと、馬見原さんがどこかへ沈むこともあるんじゃないですか」

「ルートをつかんだのは、おれじゃない。わかってねえな。この話で、どっかの企業舎弟からご褒美《ほうび》を頂けるのは、麻薬取締官《マトリ》や、或《あ》る署の誰かだ。おれは情報の一片を明かしてもらっただけさ。おれたちなりの安全保障だよ。得た情報は、縄張り争いをせずにすむ誰かと共有する。書類にして預けることもする。長峰、おれがどこかへ沈む？　まいったね。ふるえてきたぜ」

馬見原は目の前のテーブルに足を乗せた。わざとらしく足をふるわせ、デスクの上の灰皿や、ライターを床に蹴《け》り落とした。

「長峰、おれは怖くて頭が変になりそうだ……一切合切、本庁へはもちろん、関東系に、大陸系、半島系の連中、そのほかマスコミ関係と、いろいろ洩《も》らしたくなった。むろんそうなりゃ、おれはただじゃすまん。きっと命はないだろう。だが、おまえはどうだ。早地もどうなる？　代議士のセンセイは？　おれがちょっとでもそんな気を起こしたのは、長峰、おまえが怖がらせたからだ。おまえが、おれの窓口で本当にいいのか疑わしくなったと、早地に話しても大丈夫か」

長峰の表情に動揺があらわれた。

馬見原は、立ち上がって、彼の後ろに回った。上質のスーツの肩口に、吸っていた煙草を押しつけ、火を消した。長峰が慌てて立ち上がろうとするのを、押さえつけ、

「同じクズだろ、おれたちは。クズ同士、うまく付き合っていこうや。油井のことは頼んだぞ。絶対にあの親子のもとへは来させるな。おまえの責任だ。いいな」

長峰の店を出て、狭い路地から人通りの多い道へと戻った。雨はもう上がっていた。周囲を確かめつつ、雑踏のなかを歩き、駅前の銀行で、百万円を半分に分け、二つの口座にそれぞれ預金した。

肩の力を抜いて、通りに立つ。人影が目の前に飛び出してきた。身構えるより先に、

「警部補」

と呼ばれた。椎村が荒い息をつき、

「やっと見つけましたよ……」

彼のひどく濡《ぬ》れたズボンの裾《すそ》を見て、馬見原は苦笑した。

【五月三日（土）】

浚介は、油絵具をパレットに絞り出し、既成の色を幾つも混ぜ合わせた。どうにか満足のいく色になったところで、筆にとり、キャンバスの上に叩《たた》きつける。衝動にまかせて筆を運び、鬱屈《うっくつ》する想《おも》いを解放するように、色を伸ばしてゆく。二日の夜から描きはじめ、すでに日付も変わって、午前三時を回っていた。六日の火曜日まで学校は休みのため、美歩の「産むから」という言葉も、亜衣のついた嘘《うそ》も忘れ、絵だけに集中しようと努めた。

だが、時間をかけても、いっこうに願っていた色や形があらわれない。しょせんは、誰かの物真似《ものまね》に思える。自分の願う具体的な色や形が、本当にあったのかどうかさえ疑わしくなる。

教職についた当初は、夏休みに時間をとって打ち込めば、じきに絵一本で食えるようになると考えていた。

だが、思っていた以上に、教師の仕事は大変だった。授業で教えるだけでなく、様々な行事があり、事務的な仕事も驚くほど多い。生徒の言動に振り回されるのはもちろん、保護者や上司や同僚の言動にも気をつかい、社会の視線にまで神経を払わなければならない。仕事に慣れれば、今度は学内での責任が重くなり、たまに休みが取れても、絵と向かい合う気力はほとんど残っていなかった。

いつかは、自分の絵が描ける、描きさえすれば、きっと世間が拍手をもって迎えてくれる……そう思いつづけて、上達したのは、自分をごまかす言い訳ばかりだった。

そんな自分自身の姿が、絵にあらわれている。

パネルに貼《は》って壁に掛けた絵に、目を移した。芳沢亜衣が描いたものだ。悲しみ、怒り、切なさ、憎しみ、一方で感情を押し殺した虚無……幾つもの表情が、混沌《こんとん》とした色や形の底から浮かび上がってくる。

彼女が警察に保護された日の翌日、担任や教頭らとともに、彼女の家を訪れた。風邪をひき、熱が出ているということで、会うことはできなかった。

学校側は、亜衣の件については、警察が事件として扱わないことから、内々に処理することとなった。教育委員会には書類上の簡単な報告にとどめ、担任が当人に面接して注意するという方針も、あわせて決められた。浚介は、身元引受人として呼ばれた理由について、正直に心当たりがないと答えた。できるだけ彼女には関心がないように振る舞った。児童相談センターの職員、氷崎游子に対する亜衣の嘘が気になっていた。

游子からは、昨日の午後、学校に電話があった。浚介を名指しで掛けてきた用件は、やはり亜衣のことだった。

「彼女、どうされてますか」

口調は丁寧だったが、浚介は気押《けお》されるものを感じた。熱を出して休んでいると答え、本当だったのに、なぜか後ろめたさを感じた。芳沢家に積極的に介入していないことを責められないか、いまから学校へ行くと言われはしないか、不安だった。だが、彼女は浚介を責めず、

「亜衣さんのことを、きちんと見てあげてください。どうかお願いします」

と、むしろ柔らかな口調で言われた。

しかし、人間の内面に関わるかもしれない繊細な問題を、ただの美術教師がどう見てゆけばいいのだろう。

面倒はごめんだった。他人のことに時間を割《さ》きたくなかったし、彼を貶《おとし》めるような嘘をついた相手とは、今後も極力関わりたくない。

一方で、亜衣の絵には引き込まれるものがあった。彼女はいったい何を描こうとし

たのか。稚拙でも、絵でしか表現できない何かが、紙の上にあふれている。

浚介は、描きかけの自分の絵と見比べ、急に嫌気がさした。筆を置き、グラスに注いだジンを喉《のど》の奥へ流し込む。もともと酒は強くはない。新しい空気を求めて、窓を開いた。数ヵ月も放置された生ゴミの箱を開けてしまったような、ひどい臭気をおぼえた。

先月の二十七日以降、隣家から人の声は聞こえず、家の灯も見ていない。ゴミを外に出したまま旅行にでも出たのだろうか。

窓を閉め、もう一杯ジンをグラスで飲み干した。視界がぐらりと揺れ、ベッドに横になった。目を閉じる寸前、目に入った亜衣の絵が、どういう錯覚か、幼い男の子の顔に見えた。

鏡に写った男の子の顔だ。

部屋の隅に置かれた鏡台の鏡に写った、正座をしている男の子……。

〈いえ、この子は遠足には行かせません〉

ぼそぼそ話す女性の声が、耳の内に響く。〈課外授業も、ご遠慮申し上げます。本来は学校へも行かせたくないんです。よこしまな欲望を吹き込まれるのではないか、地球を滅ぼす消費社会の価値観に、染まってしまうのではないかと、恐れています。

法律で義務と決まっており、反すれば、私どもは家族一緒に暮らすことさえ禁じられかねませんので、仕方なく通わせるのです、ご理解ください〉

〈しかし、お子さんはそれでいいんですか〉

言い返す男の声も響いた。〈みんなと仲良く過ごすことで、社会性を育《はぐく》むことも大切だと思うんですが〉

〈社会性？　この病んだ社会に適応することが、本当に必要ですか〉

疑わしげな女性の声が、男の声をかき消してしまう。〈この社会には、環境を汚す物質があふれています。それを増やす仕事のほうが優遇され、被害をこうむる弱者や動物、後世の子孫のことは、ほとんどかえりみられません。社会には暴力もあふれています。女性は日々性的な被害に遭《あ》っています。或《あ》る地域では、数秒に一人の人が殺され、或る国や地域の人々は、平和を説く神の名において、銃や爆弾や戦闘機を人々に向けています。背景のひとつに、性差別や、人種差別があります。日本においても、人種差別、職業差別、性差別が強くあります。先生方はその現実を学校で教えていらっしゃいますか。それを隠したままの教育が、どうして社会性などと口にできるでしょう。世界には飢えた子が何百万人といます。本当は世界には多くの農地があまり、食料も足りてるんです。ただ穀物や野菜の値が下がるのを嫌う少数の人のために、休耕され、食料は倉庫にしまわれて、命が犠牲にされてるんです。そのことを子どもに伝えていますか。それを隠して、社会に適応するとは、どういう意味でしょう。お答えください〉

〈きみもそれでいいんだね、遠足も課外キャンプも行かなくて、いいんだね〉

男にそう問われて、鏡に写った男の子は、はいと答えた。

〈行きたくありません。先生は知らないですけど、クラスには、いじめられてる子がいます。大人の雑誌を持ってきて、見せびらかす子もいました。犬に接着剤を食べさせた子も、猫を蹴《け》った子も、近所の家の窓に石を投げた子もいます。遠足に行くくらいなら、近くの公園を、父や母と一緒に掃除します〉

鏡のなかの男の子が、首を回し、自分の隣を見た。そちらには、食卓を囲んだ、やせた父と母、そして赤ん坊の弟とがいる。

暗い電灯のもとで、家族四人がつましい食事をとっている。真夏だが、エアコンはなく、窓を開け放しており、近所からテレビの音や家族の笑い声が聞こえてくる。だが、狭いこの部屋には音がない。弟がむずかって声を上げる。静かに、と父が注意する。母が箸《はし》を置き、弟を抱いて部屋の外へ出る。父は食事を終え、まだ食べている男の子をしばらく見つめ、食べるのが遅いと低い声で言う。

〈食べるのを楽しんでいるから遅い。土の恵みや海の恵みに感謝して、あとは消化することだけをイメージして食べればいいんだ。欲望を捨てなさい。おまえの学校の教科書を見たが、くだらないことばかりが書いてあった。どうして学校は、ゆがんだ道徳観や歴史を押しつけるか、おまえは考えたことがあるか。どんな立派な思想や、高邁《こうまい》な主義を掲げていようと、世界の国々や地域において、指導者と呼ばれている人々はみな、高級車に乗り、立派な家に住み、壇上から人々を見下ろす位置に立つ。それでいて子どもに平等という倫理、犠牲という歴史観を教えようとする。これは実はおかしいことだ。平等を訴える指導者が、自分自身や家族には、平等とはとても言えない物質を享受《きょうじゅ》させ、権利を優先させる。人を見下《みくだ》し、ときには他人の命を楯《たて》にする。つまり、誰もが欲望に負けているということだ。誰だって、おいしいものを食べたい、楽に暮らしたい、人から大事にされたい、そして死にたくない……。しかし、その欲望は、現実には多くの他人の犠牲の上に成り立っている。おまえはまだ、遠足に行けたらと心のなかで願っているだろう。反省しなさい。ささいな欲望が、いずれ多くの人を苦しめる欲望の芽となるんだ。欲望を捨てきれない自分を責めなさい。鏡に向かって自分を見つめ、深く反省するんだ〉

男の子は鏡に顔を向ける。泣いているようで、怒っているようでもあり、寂しそうでいて、何かを呪《のろ》っているような、また感情を一切押し殺した虚《うつ》ろな表情にも見える。

〈なんだ、その顔は〉と、厳しい声が飛んだ。

やめろっ。

浚介は自分の声で目を覚ました。視線の先に、染《し》みの浮いた天井がある。見慣れたアパートの部屋だった。

すでに夜が明け、窓からは日の光が差し込んでいる。時計は八時を回っていた。

口のなかが粘つき、水を飲もうとベッドから起きた。吐き気をおぼえた。二日酔いではなく、部屋のなかに満ちている悪臭のせいだ。

窓を見た。閉めたはずが、わずかに開いている。悪臭はそこから流れ込んできたらしい。下水管でも破裂しないかぎり、こうは臭《にお》わないだろうと思う。

妙な音が、耳もとで鳴った。目の端を、小さな影がよぎってゆく。蚊よりも、やや大きい虫だった。二匹いる。やはり窓から入ってきたのだろうか。

ベッドの上に止まったところを見ると、蟻《あり》だった。通常の蟻のように腰が細くなっておらず、ずん胴の背に、透けた黒い羽が四枚ついている。

浚介は、ティッシュを手にして、羽のある蟻を捕まえようとした。一匹はキッチンのほうへ逃げ、逃げおくれたもう一匹を捕まえた。親指と中指のあいだに力を込める。

いやな感触が指先に伝わった。

ティッシュに包んだまま、ゴミ箱に捨てた。もう一匹を探したが、なかなか見つからない。あんな蟻が室内を這《は》い回るかと思うと、自分の内面が汚されていくようで腹が立つ。

隣家からの悪臭は台所にまで流れ込んでいた。美歩の言葉や、亜衣の嘘、そして自分自身への嫌悪《けんお》や、家庭一般への反発も重なって、悪臭の元凶に違いない隣家に対する怒りがいっそうこみ上げてくる。

浚介は、羽蟻をいったんあきらめ、服を着替えて、アパートの部屋を出た。

＊

午前八時半、羽田国際空港にほど近い老人保健施設を、馬見原は訪ねた。

多摩川沿いの土手に、三階建てのビルが二棟並んでいる。入所者全員への個室提供が目標らしいが、高齢者の増加に対し、設備も行政も追いつかず、個室に入所できているのは一割程度だった。馬見原は、顔見知りの職員やヘルパーたちに挨拶《あいさつ》をして、老母のベッドを見舞った。

四人部屋の通路側のベッドに、母はひと月前とほとんど変わらない状態で、横にな
っていた。朝食後、各人の排便もすませ、施設内がひと息ついている時間だった。
馬見原が部屋に入ってゆくと、同室の老人たちが一斉に目を向けた。自分以外の者
に面会者があることへの羨望《せんぼう》が、その視線にはこもっている気がする。
「おふくろ」
目を閉じている母に呼びかけた。
「おふくろ……母ちゃん」
少し声を高くする。
母が目を開けた。簡単に着脱できるマジックテープの付いた水色のシャツを着て、
紺色のモンペをはいている。病気になる前は、ふっくらとしていたのに、ずいぶんと
やせてしまった。長かった黒髪も、ほとんど白くなって、短く刈り上げている。
彼女の視線が宙をさまよい、馬見原の顔の前で止まった。母は、しばらく考えてい
たかと思うと、
「どちら様ですか」と訊《たず》ねた。
その言葉にはもう慣れている。
「どう、からだの調子は」

ベッドの横に丸椅子《まるいす》を置き、腰を下ろした。しぜんと、母の枕《まくら》もとの壁に貼《は》られている写真に視線がゆく。

娘の真弓と、髪を金色に染めた若者を両側にして、母が笑っている。

真弓が赤ん坊を抱いている写真もある。ひと月前にはなかったはずだが、母がその赤ん坊を抱いている写真が新しく加わっていた。

真弓は、少年院を出たあと、大阪に暮らす馬見原の妹夫婦のもとで、しばらく暮らした。佐和子の再入院後に上京し、荒川区の花屋で住み込みで働きはじめた。同じ暴走族にいた同い年の少年が、更生して、家業であるその花屋で働いていた。

昨年、真弓は、その若者と入籍した。すでに妊娠もしていたらしい。

馬見原は、佐和子を病院に見舞ったときに、彼女から話を聞いて、初めて知った。真弓は、月に二度は佐和子と、祖母とを見舞っているという。結婚については、後日相手方の両親から馬見原に対し、挨拶の電話があり、礼儀を欠いた結婚を詫《わ》びる手紙も届いた。だが彼は、娘にも相手にも会う気はなかった。昨年暮れ、女の子が無事産まれたと、やはり佐和子から聞いた。赤ん坊を直接見たことはないが、妻と母のところで写真を見て、成長は確認できている。

「ああ、新しい先生ですか?」

母が、ようやく思い出したというように、顔を輝かせた。

彼女がからだを起こそうとしたため、馬見原は彼女の背中に手を添えた。

母は、施設に入所後リハビリをはじめ、自分でなんとか歩ける程度になった。ただし脳血管性の痴呆《ちほう》のため、記憶があやふやになり、とくに人間の顔と家族関係の認識とに、間違いが多かった。

「赤ん坊を抱いてますね」

馬見原は写真を指で示した。

母は、写真を振り返り、皺《しわ》だらけの目もとをほころばせた。

「息子の子どもです。わたしの初孫。この女の子が、息子のお嫁さん。いい子なんですよ」

本来は孫にあたる真弓のことを、息子の嫁だと思っていた。そして、真弓の結婚相手を、自分の息子、つまり馬見原と思い込んでいる。だから、息子がなぜ髪を金色に染めているのか、母はよく理解できずに嘆いていた。

「今日、佐和子が退院します」

馬見原は伝えた。

「佐和子？」

母が、記憶をたどろうとしてだろう、額のあたりを拳《こぶし》で押さえた。

馬見原は、手を伸ばし、母の短い髪を撫《な》でた。あぶら気も張りもない、さらさらとした髪だった。頭もかなり小さくなった気がする。

「ああ、叔母さんのこと？」

母が嬉《うれ》しそうに顔をほころばせた。「叔母さん、退院なさるのねえ。それはよかった。でも、どこが悪かったのかしら」

「精神的にまいってたんですよ」

「そう。女の人はいろいろと大変だものねぇ。適当に気晴らしをしないと」

「散歩でもしますか」

馬見原は手を差しのべた。

母が、にっこりとほほえみ、彼の手を握った。

母と十五分ほど、施設内の廊下を歩いた。ベッドに戻って、なお五分ほど付き添い、母が眠ったところで、職員にあとを頼み、施設を出た。

晴れわたった空から降り注ぐ日差しは強く、午前九時を回った時点で、すでに夏の陽気を感じさせた。午後には気温が三十度近くまで上がるだろうと予報も出ている。

馬見原は、祝日ですいている電車に乗り、世田谷の駅で降りた。身についた職業上の癖で、いったん周囲を見渡し、人の動きを確認してから、駅前の通りを進んだ。

目指す病院は、駅から近い場所にありながら、地域住民への配慮からか、入口が広い敷地をぐるりと回った、裏通りの目立たない場所にある。

アスファルトの道は照り返しが強く、日陰を歩いていても、ほどなく全身から汗が吹きだしてきた。病院を囲む塀は高く、いつまでも途切れない。彼は訪れるたびによく、この塀が永遠につづくのではないかという錯覚に襲われた。

警察の仕事をしていると、自分がふだんいる塀の外側こそ、異常で、恐ろしい世界のように思う。毎日どこかで人が殺され、しかも子どもが犠牲となるような、悲惨な事件がつづいている。あまりの事件の多さに、司法も麻痺《まひ》したのか、最近は人ひとりを殺しても、加害者は実質十年も刑務所に入っていない。被害者の無念を晴らそうと、馬見原たちが早朝から深夜まで捜査に駆けずり回り、ようやく捕まえた加害者が、刑務所の収容能力の限界を理由に、早く外へ出される傾向まである。そのくせ、被害者への謝罪も補償も十分ではない。塀の内と外とは、正常といった感覚では、とっくに逆転していると感じることさえあった。

前方にケヤキの大木が見えてきた。東京都の保存樹であるその木の脇《わき》で塀が切れ、病院の門がひらけていた。

馬見原は、門の前で足を止め、ハンカチで額の汗を拭《ふ》いた。門から病院の玄関まで、まだ三十メートルくらいの距離がある。入って左手に駐車場、右手に庭があって、四季おりおりの花が咲く花壇が整えられている。花壇にはいま、ツツジと、そのあいだに忘れな草だろうか、空の青に似た色の可憐《かれん》な花が咲いていた。

「あのぅ、すみません……」

背後で、か細い声が聞こえた。

地味なワンピースを着た中年の女性が、ケヤキの幹にからだを隠すようにして立っている。目の下に隈《くま》ができ、表情には生気がない。

「病院の関係者の方でしょうか」

彼女が恐る恐るといった口調で訊ねた。

「いいえ、違いますが」

馬見原の答えに失望したのか、彼女はあいまいに頭を下げ、ケヤキの根もとにしゃがみこんだ。彼女の右肘《みぎひじ》には包帯が巻かれ、首筋に絞めたあとのような痣《あざ》がある。痛々しい様子が気にかかり、

「わたしは、身内がここに入院しているのですが、何か」と声をかけた。

女性は、少し迷っているようだったが、ケヤキを支えに立ち上がり、

「あの、ここでは、子どもの相談も、受け付けてくださるんでしょうか」

「お子さんが、ご病気なんですか」

「病気だなんて、違います。ちょっと不安定なだけです」

彼女は、大仰なほど目を見開き、早口で言った。

「失礼しました」

馬見原は、相手の気持ちを察し、わずかに頭を下げた。

女性は、瞳《ひとみ》を落ち着きなく揺らし、

「ただ、子どもの問題なども、診ていただけるのかどうか、知りたかっただけです」

「そうですか。小児科の話は聞いていませんが、年齢によるのかもしれない。お子さんはお幾つですか。もしよければ」

「あの、あ、二十三です……といっても、まだ内面は幼いというか、思春期の頃のまま、成長していないと申しますか……」

彼女の肘の包帯や首筋の痣も、その話につながる気がして、

「もしかして、お宅で暴れるということも、おありなんですか」

女性の肩がふるえた。彼女は、後ずさりかけたが、ケヤキを支えにしてとどまり、

「わたしや主人が、あの子の気持ちを考えずに、何か言ったり、したりしたときだけ

で……あの子が悪いわけではないんです。それに、そうひどいものでもなくて……」

「どなたかに、相談なさいましたか。たとえば保健所などを利用されたことは」

彼女はいやそうに顔をしかめた。

「来所すれば、相談には乗るけれど、特効薬のようなものはないと言われました。結果的に、わたしたちが他人に相談したことがわかって、かえってひどくなったんです。怒鳴り散らして、壁を殴って……」

彼女は、無意識にだろう、肘に巻いた包帯の上をしきりに撫でた。目の焦点も合っていないように見える。

「大丈夫ですか」

相手の注意を引き戻すように、声をかけた。

彼女は、顔を上げて、目をしばたたき、

「どうも、お引き止めして、すみません。どうぞいらしてください、何も問題ございませんから。また、もう少し考えてみてから……」

そう言いかけたところで、彼女は口を押さえて嗚咽《おえつ》をこらえた。

馬見原は、彼女の様子をしばらく見守り、

「疲れてらっしゃるんでしょう。病院内に小さな喫茶室があります。少し休まれて、受付で相談なさい。わたしがあいまいなことを申し上げても、かえってよくない」

「でも、決して病気なわけじゃ……」

女性は、口を押さえたまま、先と同じ言葉を繰り返した。

馬見原はわずかに苛立《いらだ》ちをおぼえた。

「何か偏見をもたれているんですか」

女性は、驚いた表情で手を横に振り、

「とんでもありません。こういう病気は、心が風邪を引いたと思えばいいと、偉い方が新聞に書かれていました。その通りだと思います。ですけど、うちの子は、違うんです、ちょっと違うんです」

懸命に言いつのる彼女の姿に、ある種の悲しみさえおぼえた。その姿には、かつての自分も重なる気がする。彼女を残して、病院のほうへ歩きだした。説得など意味がないことは、彼自身、経験してきたことだ。説得されたいわけではない。何も問題ない、時間が経《た》てば元通りになる、いまの状態に陥ったのも、決してあなたのせいではない……そう言ってほしいだけなのだ。

馬見原は、門の内側に入ったところで、足を止めた。視線の先の花壇では、澄んだ青い花々が風に柔らかく揺れている。

「同じでしたよ」

背後に向けて言った。相手に聞こえているかどうかは、どうでもよかった。相手はもう帰っているかもしれない。

「家内は病気ではないと思ってました。他人なら、もっと適切に対応できたんでしょう。家族であるがゆえに、家内を苦しめてしまったように思います。偏見、というと確かに強く聞こえてしまう。むしろ、ものの見方といったほうが近いでしょう。心の病というより、〈頭がおかしい〉という言い方のほうが、この社会ではまだ幅をきかせてる。そうした社会全体の、ものの見方や考え方が、いざというとき自分たちを苦しめる……実際に家族が病気にならないと、それがわからない。いや、当事者になっても、最初はだめでした」

額から流れる汗を、手のひらで押さえた。次々と汗が吹きだしてくる。

「大丈夫でいてほしいと願うあまり、家内をなかなか病院に診せませんでした。心が風邪を引いただけなどと、そんな気には、到底なれなかった……そのあいだ、家内は不安や恐れを大きくしていたのにです。一般に人は、脳内の物質がバランスをとって、正常と呼ばれる状態を保っていられるそうです。様々なケースがあるでしょうが、家内の場合、幾つものストレスが影響して、そのバランスが崩れたことが病因でした。

不安や妄想を抑える物質を薬で補充すれば、じき収まってゆきましたから。骨が折れたらカルシウムを摂《と》る……ある意味、それと同じだったんです」

手でぬぐった自分の汗に視線を落とす。これもただの水ではない、それがわかったのはごく最近のことだ。

「医療への不信もありました。ひどい医者や病院が、精神科には少なくないという報道を見たし、実際いまも人権を無視した病院や医者の存在は否定できないでしょう。糺《ただ》してもらわなきゃいけない。監視も必要だ。しかし、患者や家族のことをしっかり考えてくれる病院もあり、ここは、そういう病院でした。何にでも相性はあるでしょうから、合わなければ変わればいい。家内には、ここはよかった。ただ、診てもらうのが遅かった……。いま思えば、わたしは自分に刷り込まれていた世間のものの見方を、家内を犠牲にしてまで、固持しようとしていただけなのかもしれません」

そこまで言うと、馬見原はあえて振り返ることはせず、ふたたび病院に向かって歩いた。玄関ドアの前に立ったとき、ガラス扉に映って、さっきの女性が門の内側に立っているのが見えた。

病院内は、掃除が行き届き、観葉植物がところどころに置かれていた。一般の総合病院とほとんど変わりないホールには、クラシック音楽が流れ、十人前後の人がソファに座って、静かに診察を待っている。

外来管理棟から渡り廊下に出て、比較的症状の軽い女性患者が入院している病棟へ進んだ。ナース・ステーションで顔見知りの女性看護師の姿を認め、挨拶《あいさつ》をすると、

「あら、馬見原さん。奥さん、さっきリハビリ棟のほうへ行かれましたよ」

「しかし、今日は退院のはずじゃ……」

「そう申し上げたんですけど、みなさんに挨拶したい、からだも少し動かしたいって。退院が嬉しくて、じっとしてられないんじゃないですか。戻ってくるまで、ここで待ってらっしゃいます？」

馬見原は、午後から仕事があるため、こちらから迎えにゆくことにした。

この病院では、自他傷の危険がある患者が入院する保護棟以外、各病棟はすべて開放されている。そのため、患者は病棟間を自由に移動できた。施設全体が明るく、古い精神病院につきものの暗いイメージ、拘禁の重苦しさは、まったく感じられない。とくに、病院の中庭に面したリハビリテーション棟は、天井が総ガラス張りのうえ、中庭との行き来も自由で、リゾートホテルの施設のような造りだった。

佐和子が集団療法のときに好んだ陶芸教室をのぞいたあと、ジムの用具がそろっている運動療法室のドアを開けた。

室内には、二十人ほどの患者と、その半数ほどの看護師、および運動療法士がいた。或《あ》る者は運動療法士の指示にしたがってマシンの上でランニングをし、或る者は看護師に見守られながらマットの上で体操をしている。

真っ赤なトレーニングウェアを着て、サイクリングマシンのペダルを楽しそうにこいでいる患者に目をとめた。

かつては地味で、控え目な性格だった妻は、二度目の入院後、一転して社交的で積極的になり、服装の好みも派手になった。遠目からでもよく目立つウェアも、売店で彼女みずからが購入したものだ。

相手もまた馬見原に気づいて、

「はーい」

と、華やいだ表情で、十代の娘のように大きく手を振った。

変化した性向は、服の好みだけでなく、言動のひとつひとつにもあらわれはじめている。それは決して悪いことではないのに、馬見原は、どうしても従順で控えめだった彼女の面影が忘れられず、戸惑いをぬぐいきれない。

佐和子は、サイクリングマシンから下りて、跳ねるように駆け寄ってきた。止める間もなく、彼女は馬見原に抱きついた。

彼のほうは、ただ両手を挙げているだけで、なす術《すべ》がなかった。周囲の人々がほほえましくこちらを見ている。その視線も居心地悪く、

「おい、何してる。早く離さないか」

だが、佐和子は抱きついたまま、顔だけ起こして、

「病室で待ってなくて、ごめんなさい。ほんの少しからだを動かすつもりが、つい気が入っちゃって。からだの底から元気がこみ上げてくるの」

彼女は、肩の上で切りそろえた髪を、亜麻色に染めていた。許可を得て、外の美容室にでも行ったのだろう。こちらが気後《きおく》れするほど若々しく見えた。

馬見原は、彼女の肩に手を置いて、軽く押し離すようにした。

「行くぞ。午後から仕事に出なきゃならん」

佐和子が目を見開いた。

「せっかく退院するのに、休んでくれなかったの？」

以前は、ただ素直にハイと従うだけだったのにと、馬見原は困惑しながら、

「早く着替えてこい」と、うながした。

佐和子が着替えているあいだに、馬見原は運動療法士に呼ばれた。今後、妻と一緒に運動するなど、共通の趣味を持ち、外界とのふれ合いや刺激をともに楽しむように

と勧められた。

精神病者を隔離すべきだとする社会観は、いまも根強く、馬見原自身も以前はそれに賛成していた。しかし妻の入院を機に、別の病院も回り、多くの患者も見るうちに、隔離を求める考えが、逆に悲劇を助長しているのではないかと思うようになった。心の病気を恥と思い、当人も家族も隔離を恐れて、病院を忌避するために、治療が遅れ、劣等感もつのって、ごく少数ではあるが、犯罪に発展するケースも出してしまうのではないか。この病気が、もっと肉体的な、脳というからだの器官の問題として捉《とら》え直されることが、誰にとってもよい方向であるように、彼も考えを変えつつある。

佐和子が更衣室から出てきた。昔なら、とても着なかっただろう、純白のスラックスと、鮮やかな青のブラウス、首にはスカーフまで巻いている。

「ちょっと待って。紹介したい人たちがいるの」

佐和子は、部屋の隅でバレーボールを投げ合っていた若い男女を呼んだ。年は二十代後半だろう、二人とも色あせたトレーニングウェアを着て、自信なさそうに背中を丸め、顔を伏せている。

佐和子は、二人の名前を紹介し、

「この子たちね、退院したら、結婚する予定なの。だから、そのときにはわたしたち夫婦が仲人《なこうど》するって、約束したのよ。いいでしょう?」

馬見原は返事に困った。若い男女を傷つけたくはないし、佐和子が本気で言っているのかどうかも判断がつかない。

「おめでとう」

彼は二人に言って、「それは素晴らしい話だが……ただ、仲人というのはそう簡単なものじゃないからね」

と、否定的な視線を佐和子に振り向けた。

「大げさなものじゃなくて、立会人みたいなものよ。式だって、ちゃんと挙げるつもりはないみたいだし、ねえ?」

佐和子の問いかけに、若い男女がそろってうなずいた。

「それに、結婚前に、何度かうちへも遊びに来てもらおうと思ってるの」

「うちへ……」

「真弓はお嫁に出たし、あなたは仕事で、昼間はわたしだけでしょう。だから、ちょっと面白いことをやってみようかなって」

「やるって……何を」

「社会復帰を目指す人たちへのデイ・ケアっていうか、一種の支援ホームをできないかなあって考えてるの」

馬見原は驚きに言葉も出なかった。

佐和子も、それを察してか、

「おいおいにって感じよ。ここで知り合った人たちが、気軽に集まれる場所になればと思ったの。病院を出ても、みんなと会う場所がないのは、つらいことだから。病気のことを理解して受け入れてくれる場所が、本当に少ないのよ。いいでしょ?」

即座に断ることも、また安易に承諾することも、はばかられて、

「そのことは、またゆっくり話そう」と答えるにとどめた。

運動療法室を出てゆく際、若い男女は、

「よろしくお願いします」

と、消え入りそうな声で言って、丁寧過ぎるほど深く頭を下げた。

入院棟の病室へ戻る途中、佐和子は嬉《うれ》しそうに馬見原の手を握った。彼は、一瞬手を引きかけたが、彼女の笑顔を曇らせることはいまは避けたく、そのままにした。

佐和子は、今度は馬見原の手と一緒に腕を振りはじめ、

「お世話になった方々にも挨拶をすませたし、あとは大手を振って、いとしいわが家へご帰還だ。でも今日は、お義母《かあ》さんのところへ回ったあと、外で食事でもして、ゆ

っくりできると思ったのに……」と、少し恨みがましそうに言う。

馬見原は、腕に力を入れて、せめて大きく振るのだけはやめさせた。

「おふくろは大丈夫だ、先に会ってきた」

「あら、お元気でした？」

「ああ。おまえはまた今度行けばいい」

「でも、今日くらい休んでくれてもよかったんじゃない？」

「休みがそう簡単に取れるか。仕事が仕事だ、わかってるだろ」

すると佐和子は、唇をとがらせて、

「最近、お休みをとったでしょう」と言う。

「最近？」

「四月二十六と七日」

馬見原は佐和子を見た。その両日は、綾女たちと河口湖に泊まり掛けの旅行に行った日だ。だが、佐和子が知っているはずはない。彼女の表情にも、悪意めいたところはなかった。

「いや、知らんな」

ひとまず答えた。

「だって、電話したのよ。ひどく胸騒ぎがして、つらいものだから、二十六日に家に電話して、二十七日にも電話して、全然出ないから、思い切って杉並署に掛けたの。悪いとは思ったけど、何かよくないことがあったんじゃないかって怖かったから。ほかに仕方なかったのよ。そうしたら、名前とかいろいろ確認されたあとに、休みを取ったって……。事故とかじゃなくて、ほっとしたんだけど。どこかへ行ってたの」

佐和子はそう言うと、きれいねぇと、足を止めた。入院棟へつながっている渡り廊下の途中だった。吹き抜けの渡り廊下からは、院内の中庭が見通せる。サツキが満開で、濃い紫色の花が美しいというより、やや色が強過ぎて、気味が悪いほどだった。

「気になる事件があって、署に内緒で、張り込みをした。空振りだったがな」

馬見原は適当な作り話をした。

「でも、いまは書類仕事が専門だって言ってたでしょ。急にどうしたの？」

「署の仕事とは別に、ちゃんと始末をつけたい事件だったんだ」

「解決したの？」

「ああ……した。すべて解決したよ」

一瞬、団地の外廊下からこちらを見下ろしていた綾女の姿を思い浮かべた。

「なぁに」

佐和子が、馬見原の顔をのぞき込む。

慌《あわ》てて目の焦点を妻に戻し、

「行くぞ」と、入院棟へ足を向けた。

二人は、看護師に戻ったことを報告し、そろって病室へ入っていった。佐和子のベッドの脇《わき》に立っていた若い娘が振り返り、

「お母さんっ」と、声を上げた。

娘の真弓は、病室でずっと待っていた様子で、

「どこに行ってたのよぉ」と、不満そうに言う。

真弓は、佐和子だけを見て、隣に立つ馬見原のことは無視していた。ジーンズにトレーナーというラフな恰好《かっこう》をして、長い髪を後ろできつく束ねている。眉《まゆ》を人工的に細くしているが、もとは童顔で、目もとが佐和子によく似ていた。

「どうしたの。今日は来なくていいって言ったでしょう」

佐和子が怪訝《けげん》そうに言う。

真弓は、佐和子の前に歩み寄り、

「お母さん、わたしのところへ来て。薬を毎日ちゃんと飲んで、日々の様子も日誌につけなきゃいけないんだよ。そばでちゃんと見てる人が必要だって」

「だから、その話はもうしたでしょう」

「うちでなきゃ絶対だめ。彼も、大歓迎だって言ってくれてるんだから」

「わたしには、帰る家があるもの」

佐和子が、馬見原を見て、

「そうよねえ」と、相槌《あいづち》を求める。

「よして」

真弓がさえぎった。「あの家は、お母さんを病気に追い込んだ家よ。せっかくよくなったのに、放ったらかしにされて、また悪くなるに決まってる」

馬見原は黙って娘の顔を見つめた。真弓のほうは、不自然なまでに彼を見ようとしない。

「話したでしょう、計画があるのよ」

佐和子が言う。「社会復帰を願っている人たちに集まってもらう、ちょっとした集会の場を作りたいのよ。そのためにも、家に帰る必要があるの」

「無理よ。そいつが反対して、やらせないに決まってる」

「よしなさい、そんな言い方。お父さんでしょ」

病室の前を通りかかった女性看護師が、母と娘の言い合いに気づいてか、

「どうかしましたか」と、入ってきた。

真弓は、よい機会と思ったのだろう、退院に際しての担当医との話し合いに同席したいと、看護師に告げた。佐和子は反対しかけたが、真弓が押し切り、三人そろって診察室に通された。

三十代の担当医の前に、佐和子と真弓が並んで腰掛け、馬見原は部屋の隅に立った。

真弓がまず自分が母親を連れて帰ることの正当性を説明し、つづいて佐和子が自分の希望を語った。担当医は、両者の話を聞き終え、困惑顔で馬見原たち三人を見回した。

「つまり、娘さんの話によると、お父さんが仕事に出たあと、お母さんはひとりきりになってしまい、注意が行き届かないということですが……それは本当ですかね」

「本当です」

真弓が答えた。「あたしのところだったら、花屋をやってるんで、店の裏で休んでてもらえば、いつも誰かと一緒にいられます。こうした病気をした人は、少し状態がよくなると、勝手に薬をやめることが多いと、おっしゃってましたよね」

「ええ。薬はきっと飲みつづけていただかねばいけません。しばらくは、毎日の行動記録と思考記録もつけてください」

「大丈夫です、ちゃんとやります」

佐和子が答えた。

「前のときは飲まなかったじゃない」

真弓が反論した。「退院したあと、薬を飲まなくなったでしょ。そばにいた奴《やつ》は、仕事にかまけて注意もせず、結果、お母さんは再入院して、長くなったんじゃない」

馬見原は窓のほうに目をやった。日差しがさらに強くなったのか、照り返しで窓が白く輝き、外の景色もはっきりとは見えない。

「ご主人は、仕事柄、宿直があったり、夜遅くなったりすることがあるわけですね」

担当医の声が聞こえた。

彼が答える前に、佐和子が医師のほうへ身を乗り出し、

「この前は、わたしの不注意でした。調子がよかったので過信したんです。今回は絶対に薬を飲みつづけますから」

「皆さん、そうおっしゃるんですが……ご本人だけでは、どうしても行き届かない面が出てくるんです。薬の副作用で、吐き気や、頭がぼうっとすることもあるでしょ？調子がいいと、つい避けたくなって、一日くらいと思う。その一日が二日になり、三日にと……」

「そんなことしません、大丈夫です」

佐和子は、強い口調で言って、馬見原を振り返った。親の応援を頼む子どものように瞳《ひとみ》がふるえている。

「大丈夫です」

馬見原は担当医に向かってうなずいた。「しっかり注意していきます。再入院の当時は、わたしもたかをくっていました。いまはデスクワークが主ですし、病気への認識も新たにしております」

「嘘《うそ》よっ」

真弓が叫んだ。彼女はなお、馬見原を見ないままで、

「こいつは変わったりしない。先生、お母さんを追い込んだのはこいつなんです」

「やめなさい、真弓」

「お兄ちゃんが死んだのも、こいつのせいよ。お兄ちゃんは、こいつの思いどおりの人形にされて、それが苦しくて、逃げようとして、死んだんだから」

「やめてちょうだい」

「おばあちゃんだって、悲劇の主人公面《づら》したこいつに疲れて、倒れたのよ。こいつといたら、みんな、だめにされる、殺される」

「やめて」

「お母さんを、またひどい目にあわせたくないのっ」

佐和子が真弓の頰を打った。

馬見原はあいだに入ろうとしたが、佐和子はすぐに表情をゆるめ、娘の頰に優しく手をあてた。

「ごめんね。でもね、真弓。お母さん、自分の家に帰りたいの。あの家で、家族を作ってきたし、いろいろなものを育ててきたの。だから、お父さんと、あの家に帰りたいのよ。わかってちょうだい」

佐和子は、感情のこもった声で、娘を説得した。

あるいは彼女の病状がぶり返したのではと、馬見原は不安になった。真弓も、叩《たた》かれた頰を押さえもせず、母親の顔を見つめている。

佐和子は、しかし落ち着いた態度で椅子《いす》に掛け直し、

「間違いなく、薬を飲みます。生活もきちんと時間割を作って送り、日誌も書きます。通院も欠かしません。どうぞ、自分の家に帰してください。お願いします」

きれいな姿勢で頭を下げた。

＊

氷崎游子は、朝の八時過ぎに、新宿区にある戸塚警察署に出向き、同署刑事課の応接室で、捜査員から事情を訊《き》かれた。

四月二十七日、酒に酔った駒田という男から、彼の娘を保護する際に、暴力をふるわれた件だった。游子自身は、被害届のようなものを提出する気はなく、証言をするにしても、相手を悪く言うつもりはなかった。

駒田には、酒を飲んで子どもに暴力をふるったことを反省してもらうのはもちろん、子どもをいったん施設に預けて生活を建て直し、断酒会に入るなど更生に向けてのプログラムに取り組む姿勢を示してほしかった。

「彼に会われますか」

捜査員に訊《たず》ねられ、游子は会って話したいと申し出た。

しばらくして、捜査員二人に連れられ、駒田が応接室に入ってきた。彼は手錠をされ、腰縄を打たれて、縄の端を若い捜査員に持たれている。もともと小柄で、酔っていないときには頼りない感じのする人物だが、いまは背中を丸め、恥ずかしそうに目を伏せているため、髪の薄い頭頂部分も見えて、哀れにさえ映った。

「おはようございます」

游子は柔らかく声をかけた。

駒田は、目をしょぼつかせ、彼女を見ずに、ちょこんと頭を下げた。

「座れ」

年配の捜査員に言われて、駒田は游子の正面のソファに腰を下ろした。

「逃げんじゃねえぞ」

捜査員がからかう口調で言う。

駒田は媚《こ》びるような愛想笑いを浮かべた。それがまた游子には悲しく映った。

「どうだ、反省してんのか」

捜査員が厳しく声をかける。

駒田は、臆病《おくびょう》な小動物のように過敏に反応して、二度つづけてうなずいた。

「聞こえんな」と、捜査員が言う。

「してます……すみませんでした」

駒田は裏声のような高い声で言った。

「謝るのは、こっちじゃないだろ」

駒田は、慌《あわ》てて游子のほうに向き直り、
「ご迷惑をおかけして……あの、申し訳ありませんでした」
彼女の顔は見ないまま、ぼそぼそとした口調で言った。
游子は、立ち直ってほしい想《おも》いをこめて相手を見つめ、
「駒田さん、お酒をやめて、生活を建て直してください。駒田さんのためだけでなく、
玲子ちゃんもそれを望んでいます」
駒田は、どう聞いたのか、ただ声に反応しただけのように頭を下げる。
游子は、苛立《いらだ》ちに似た感情をおぼえ、
「玲子ちゃんのことを、お知りになりたくはないんですか」と問いかけた。
駒田は、少しだけ目を上げ、
「ああ……玲子は、元気ですか」
「ええ。一時保護所のほうで、しっかり生活してます。食事も睡眠もよくとれている
ようです。勉強のほうも、センター内の教室で授業を受けています」
すると駒田は、首をしきりに横に振り、
「ね、旦那《だんな》。女房さえ、出ていかなきゃ、こんなことになってないんですよ」
と、また捜査員のほうへ愛想笑いを浮かべた。

「駒田さん、いまはあなたの問題ですよ」

游子は、強い口調で、彼の自覚をうながした。

昔から、男らしいとか、女らしいという言葉が嫌いだった。人間を文化的な型にはめ、結果的に、周囲に流されやすい、依存的な人間を作る言葉だと思い、むしろ憎んできたと言ってもいい。

だが、目の前の駒田の態度を見ていると、つい理性的な抑えがきかず……男らしくしゃんとして、父親らしく胸を張って、などと言いたくなる。

人間らしくだ、誰からも尊重される人間らしく……いのちの尊厳を有する人間らしくだと、游子はみずからに言い聞かせ、

「人として、いまあなたがしっかりなさらないと、玲子ちゃんがかわいそうですよ」

「あ……まあ、出してもらえたら、がんばって、玲子と暮らします」

駒田はなおあいまいな口調で言う。

游子は、ひと言ひと言、相手に言い聞かせるつもりで、ゆっくりと、

「いいですか、駒田さん。玲子ちゃんは、しばらくこちらで、お預かりします。ですから、そのあいだに駒田さんは、お酒をやめて、就職をして、生活を正してください。人間として、尊厳のある暮らしをです」

「え……玲子と暮らせねえんですか」

駒田は、心配そうな顔で、游子ではなく、年配の捜査員のほうを見た。

「おまえが親じゃ、娘が不幸だろ」

捜査員がからかうように言う。

「大丈夫ですよ、駒田さん。いまあなたがお酒を断って、やり直してくださるなら」

游子は慌ててとりなすように言った。

だが駒田は、今度はずっと黙っている若い捜査員のほうを見て、

「旦那ぁ」と、泣きそうな声を出す。

年配の捜査員が彼の肩を強く叩《たた》いた。

「どうした。おまえ、男だろ。父親なんだろ？　娘のために、しっかりやれってことだよ。男なら男らしく、父親なら父親らしく、ちゃんと振る舞え。わかるだろ」

捜査員の気合の入った言葉に、駒田もようやく納得した様子で、

「わかりました」と答えた。

游子は、自分の言葉が相手に届かなかった徒労感を胸におさめ、

「とにかく、玲子ちゃんは、あなたの迎えを待っていますから」とだけ告げた。

駒田は、捜査員に引かれて、游子を見ないまま応接室を出ていった。彼の身柄につ

いては、検察側が現在判断しており、起訴するか、あるいは起訴猶予《ゆうよ》として釈放するか、数日のうちに決まるらしい。

游子は、警察署を出たあと、児童相談センターまで歩いて戻った。左足を少し引きながらでも、十分程度の距離だった。

一時保護所の庭先では、学齢に達していない幼児たちが、砂場やすべり台で遊んでいた。通常の保育園や幼稚園の子どもたちと変わりなく、ここで遊ぶ子どもたちの表情にも、屈託のない笑顔が見られる。だが、実際はどの子もみな、何かしら家庭内のつらい事情があって、ここで生活していた。

この子たちの幸せは、どのようにすれば保護できるのだろう……。不遜《ふそん》な考えなのを承知で、それを思うと、游子は胸が痛む。

子どもたちのそばにいる保母の一人に、口の動きで、駒田玲子がどうしているかを訊ねた。センターの本棟で授業を受けていると、保母も口の動きと身振りで答える。

游子は、いったんデスクのある部屋に戻り、上司に戸塚署での件を報告した。

一時保護所で暮らす学齢児童に、外の学校とほぼ変わりない授業を受けさせるため、センター内に小さな教室を設け、教師に来てもらって、学年に合わせた勉強を進めている。駒田玲子は、小学校三年生に上がったばかりだった。彼女が通っていた学校の担任の話では、成績はあまりよくないが、もともとの知能は低くないという。だが、集中力に欠けるという話で、センター内の授業でも、十分と教科書や黒板を見ていられず、ぼうっと何かを夢想するようだと報告が上がっていた。

今日は休日だが、補習もしくは自習的な授業が、それぞれの教室でおこなわれている。游子は、高学年の教室をのぞいたあと、三年生と二年生が一緒に学んでいる教室をのぞいた。生徒は八人、玲子は中央付近の席にいた。彼女の額の傷は、縫うほど深くはなかったが、いまも絆創膏《ばんそうこう》を貼《は》っている。報告にあったとおり、教科書を開きながらも、机にからだを伏せ、ぼんやりと部屋の隅を眺めていた。

游子は、教師に黙礼して、教室内へ入った。そっと邪魔しないようにだったが、生徒全員が彼女を見た。玲子も、我に返った様子で、游子を見た。表情が険しく変化する。彼女に嫌われていることが伝わってくる。悲しかったが、しっかり受け止め、彼女をよい方向へ進ませることが大事だと、游子は毅然とした表情のままでいた。

「はい、ちゃんと前を見て」

教師が生徒に声をかける。

游子は教室の後ろに立った。玲子は、背筋を伸ばして前を向き、授業に集中する姿勢を見せた。

五分ほど経《た》った頃、廊下のほうで女性の声が聞こえた。誰かの名前をしきりに呼んでいる。玲子の隣で授業を受けていた、肌の色が一般の日本人よりやや濃い印象の少女が、いきなり教室を出ていった。游子は、教師を制して、自分が追った。東南アジアの出身らしい若い女性が、廊下をこちらへ向かってくる。教室を飛び出した少女は、その女性にママと叫んで駆け寄った。女性は、少女をしっかりと抱きしめ、

「ゴメンねぇ」と、ほほえみかけた。

彼女は、少女の母親で、日本人の夫の暴力によって怪我《けが》をしたため、病院で入院治療を受けている間、少女をセンターに預けていた。

少女は、このまま母親と帰ることになり、教室にノートなどを取りに戻った。

「バイバイ」

少女は、隣の席の玲子に手を振った。

「バイバイ」

玲子はかすれた声で答えた。

少女が母親と去ったあとは、もう授業にならなかった。それぞれ自分の親のことを思い出したのだろう、数人の子は泣きだしてしまい、或《あ》る子は教室を飛び出して、トイレのなかに引きこもった。游子が説得して連れ戻すと、また別の子が教室を出た。

授業が終わってもなおそれが繰り返され、ほかの職員も手伝ってようやく収まった。

ふと気づいて、游子が見回すと、玲子は自分の席に腰掛けたままでいた。

彼女は、机の上にからだを伏せ、ぼんやりとした視線を部屋の隅にやっている。そのあたりに何が見えるのか、涙こそ流していなかったが、瞳《ひとみ》は濡《ぬ》れていた。

＊

浚介は、ささくれた感情を持てあました状態で、隣家のインターホンを押した。

コンクリートの門柱には、『麻生《あそう》』と大理石に彫られた表札が出ている。新聞受けには数日分の新聞と郵便物とが溜《た》まっていた。

彼はつづけてインターホンを押した。麻生家は、六、七十坪の敷地を高い塀で囲み、塀の上には槍《やり》状の泥棒よけを設けている。鉄製の門扉《もんぴ》には、鍵《かぎ》が掛かっていなかった。押すと、簡単に開き、少し迷ったが、このまま帰るのも癪《しゃく》で、とりあえずなかへ入った。

門から玄関までレンガ敷きの小径《こみち》がつづき、その両側に庭が広がっていた。雨がつづいたためか、植物の葉に露が溜まり、緑の色も濃く感じられる。だが、手入れはなまけているのか、雑草があちこちで伸び、萎《しお》れている花もあった。芝生の大部分も枯れている。

二階建ての家はやや古く、そこここに雨風の染《し》みやペンキのはげ跡があった。玄関の前まで進むと、異臭がさらに強まった。

「麻生さん、麻生さん……」

浚介はドアをノックした。息をつくたびに、異臭が胸のなかをかき乱す。把手《とって》に手をかけた。鍵が掛かっていた。

警察に連絡することも考えた。しかし何もなかったとき……たとえば、ゴミを捨て忘れて旅行に出ているだけかもしれない場合を思い、まず確認のつもりで裏手に回った。家の周囲をざっと見たが、ゴミらしきものはない。勝手口のドアの前に立ち、期待もせずにノックした。

「……まったく、何の臭《にお》いだよ」

吐き捨てるようにつぶやいて、惰性のようにドアの把手を引いた。

差し金を受けていた柱のところが腐っていたのかもしれない、あっけないほど鍵が外れて、ドアが開いた。

室内に充満していた臭気があふれ出した。めまいと吐き気を同時に感じた。顔をそむけて、鼻と口を腕でおおい、早い呼吸を繰り返す。どうにか吐き気はこらえたものの、理性的な判断は麻痺《まひ》し、はっきり意識したわけではないが、いわゆるガス洩《も》れの現場にいるような錯覚に陥った。麻生家の人々は、この異臭のなかに倒れているのではないか、危険な状態にあるのではないかと思い、

「麻生さん、麻生さん……」

腕から一瞬だけ口を離し、室内へ呼びかけた。声が聞こえた気がした。物音かもしれない。それもはっきりとはわからない。

頭のどこかで、警察へ連絡したほうがいいという考えが浮かび、また一方で早く助けないと間に合わないという考えも浮かんだ。

「麻生さん……いないんですか」

せめてキッチンまで確認しようと思い、彼はスニーカーを脱いで、家に上がった。

室内はむっとする暑さで、湿気も多く、床を踏む足の裏が粘つくように感じた。駆け戻りたい衝動にかられながら、なぜか前へ進む足を止められなくなった。何もないキッチンから、いつのまにか廊下へと出ていた。

玄関上部のはめ殺しの窓から、明かりが入り、廊下を照らしている。廊下は奥へとつづいている。自分の意志というより、何者かに胸ぐらをつかまれたような感覚で、

異臭が最も強く感じられる、廊下の突き当たりの部屋へ足を運んだ。

「大丈夫ですか……麻生さん……」

部屋の前で、無意識に上げた手が、ドアのノブにふれた。完全には閉まっていなかったのかもしれない。ドアが静かに開いた。

もう悪臭とも言えない。目に見えない凶器のようなものだった。浚介は、からだを二つに折り、たまらず後退しようとして、横の壁に手をついた。スイッチに指がふれた。廊下の天井に取り付けられた白熱灯が、廊下を浮かび上がらせる。その光が、目の前の部屋にも届き、室内をうっすらと照らした。

十畳ほどの広さの洋室だった。

部屋のなかでは、何ひとつ動くものはなかった。室内の様子は、現実感が乏しいせいか、彫刻や絵画を組み合わせた芸術作品のようにも感じられた。

中央のベッドには、人形にしか見えない男女が、裸で、背中合わせに座っている。二体とも、糸が切れたマリオネットのように足を前に投げ出し、うなだれていた。窓際《まどぎわ》に置かれた木製の椅子《いす》には、これも人形にしか見えない、パジャマ姿の老人が腰掛けている。

まるで、美しく精巧な蠟《ろう》人形によって、恐ろしい童話の一場面を再現したかのような情景だった。

＊

馬見原は、自宅の前にたどり着く前から、隣家の犬に吠《ほ》えられた。

「タロー、吠えないの。わたしよ、帰ってきたのよ、タロー」

佐和子が、隣家へ駆け寄り、低い門扉越しに犬の頭を撫《な》でた。犬は、すぐに吠えるのをやめ、尻尾《しっぽ》を振った。

馬見原は、それを横目に、玄関の鍵を開けた。

「待って、待って」

佐和子が駆けてくる。彼女は、馬見原の手を押さえて、自分で玄関戸を開け、

「ただいまー。やっと帰ってこられました」

と、家のなかへ呼びかけた。敷居の前で感慨にふけっているのか、彼女がすぐにはなかに入ろうとしないため、

「外泊でひと月前も帰ったろ」

馬見原は先に入った。

「わかってないのね」

佐和子が首を横に振る。「外泊って、つまりはお客さんみたいなものでしょ、落ち着かないのよ。退院は、ここがわたしの居場所だって、完全に許された気がするの。匂《にお》いまでが自分のもののように思えて懐《なつ》かしい」

彼女は、玄関の外から両手を広げ、家のなかに向かって深呼吸した。

馬見原にはただかびくさいようにしか感じられないが、病院のような場所から帰ってくると、やはりこの家なりの匂いが染みついているのを感じるのかもしれない。

佐和子は、ぴょんと飛んで、敷居を越えた。満足そうにほほえみ、丁寧に靴を脱いで上がってゆく。結果的に馬見原が玄関戸を閉めて、あとから上がった。

居間に入る手前で、彼女は足をそろえて、家の霊のようなものへ向けてか、一礼した。廊下の板がわずかに軋《きし》った。彼女は気づかなかったのか、そのまま居間に進んで、電灯をつけ、台所をのぞく。居間と台所の境目あたりで、ふと足を止めた。そのあたりに、少しだが畳が沈む場所がある。

「ここ、ずっとそうでした?」

佐和子が何度も足をのせて確かめる。

馬見原は、彼女につづいて居間に入り、上着を下に置いた。

「最近だ。春先あたりから、あちこち少しずつ軋むようになった。前の外泊のとき、気づかなかったか」

「ええ……たまの外泊だと、あれこれ気になって、全部には気が回らないからかしら。いやね、土台が傷《いた》んでるってこと？」

「近くを地下鉄が通ったし、住宅も増えた。地盤が弱くなってるのかもしれん。業者に一度見てもらったほうがいいだろう、ここも二十五年になる」

佐和子が突然両手を打ち合わせた。表情を輝かせ、

「そうだ。結婚した年に建て直したんだものね。わたしたちも銀婚式じゃない？　何かお祝いしなくっちゃ」

と、はずんだ声で言った。畳に膝《ひざ》をつき、少し沈むあたりを手のひらで撫でる。

「ずっと家族を守ってくれた家なんだから、これからも大事にしていかなきゃね。よし、さっそく掃除といきたいところだけど、まずご先祖様と勲男に報告しなきゃ」

佐和子がいそいそと仏壇のある寝室に入ってゆく。

馬見原はそのときになってようやく思い出した。冬島綾女から渡された写真を、うっかり息子の写真立ての裏に残したままだ。

佐和子が仏壇のろうそくに火を灯《とも》す。馬見原は彼女の後ろに立った。少しでも写真

立てを動かしそうになったら、何かしら手を打つ必要がある。佐和子は、線香を上げて、仏壇に向かって手を合わせた。

「ようやく退院できました。入院中、見守ってくださり、ありがとうございました」

馬見原は、祈るどころではなく、彼女の動きに注意した。彼女が、ろうそくの火をあおぎ消し、

「なんだか空気がよどんでるみたい」

室内を見回して、息子の写真のほうへ目を戻す。

「空気を入れ換えよう」

馬見原は言った。「この部屋はおれがやるから、ほかを頼む」

「そうね。全部の窓を一度開けちゃいましょうか」

佐和子が部屋を出ていった。

馬見原は、彼女が風呂場《ふろば》に入ってゆくのを確認して、息子の写真立てを持ち上げた。

例の写真はそのまま置かれていた。

写真を隠し持ち、子ども部屋に進んだ。押入れの上段に、書類棚があり、彼の長年の捜査資料や、扱った事件の私的な記録を、ファイルに整理して並べている。

子どもたちが大きくなる以前、この部屋は彼が書斎として使っており、その頃から

押入れを捜査資料の整理に用いてきた。ここを子ども部屋にして以降も、資料は動かさず、子どもたちには絶対さわらないように言いつけた。掃除好きの佐和子にさえ、このファイル周辺には近づくことを禁じている。

馬見原は、並んだファイルの一冊を適当に取り、中央のあたりに写真をはさんで、元に戻した。押入れを閉め、廊下に出る。佐和子が風呂場から出てくるところだった。

「浴室の床は大丈夫みたい。子ども部屋の窓は開けてくれました？」

「いや……忘れた」

馬見原は、いま出てきた部屋に戻り、窓を開けた。

「どうして子ども部屋に入ったの？」

佐和子の苦笑する声が聞こえる。「あら、寝室の窓もまだじゃない」

「いまやるところだったんだ」

今度は寝室に戻って、雨戸を開き、窓を開け放した。

庭に落ちる庇《ひさし》の影がずいぶん短かくなっている。腕時計に視線をやった。署に出る時間が迫っていた。彼は、居間に入ってゆき、

「そろそろ出るぞ」

台所の窓を開けていた佐和子に告げた。

「あら、本当に？　お昼ごはんはどうするの」

勝手に食え、と以前なら言い放っていたところだった。

「何か、とれよ」

馬見原は言った。

「出前ですか？　二人分？」

「だから、おれはもう出るんだ」

「一人前だけ出前をとるなんて……」

佐和子がすねたような表情を見せた。馬見原の前で正座をし、彼の脱いだ背広をたたみはじめる。

「じゃあいい。おなか空《す》いてないし」

彼女がつぶやくように言う。

「上着は着ていくんだ。たたまんでいい」

「皺《しわ》になるでしょ。こっちが恥をかくことになるんですから」

馬見原は、苛立《いらだ》ちを抑えて、

「夕飯は、一緒にとるから」

「いいの、べつに」

「近所で、寿司《すし》でもどうだ」

「それって……退院祝い？」

佐和子の声がわずかに明るさを帯びる。

「ああ」と、馬見原はうなずいた。

佐和子が、笑顔を振り向け、

「じゃあ、やっぱり家のほうがいいかな。落ち着くもの」

「だったら買い物をして、そのときに昼めしも食え。規則正しい生活を送ると、病院で約束したばかりだろ」

佐和子が、肩をすくめるような恰好《かっこう》でうなずいた。

「了解、そうします」

馬見原は、財布から金を出し、テーブルの上に置いた。

「当座だ」

「夕食は何がいいですか」

「おまえが食べたいものにしろ」

「そういうのが一番困るのよ。お酒は。お祝いなら、もしかしてシャンパン？」

「飲みたいなら、買えばいいさ」

「絶対に遅くなることはないのね」

「デスクワークだと言ったろ」

すると佐和子は、芝居がかったしぐさで、テーブルの上の金を押しいただき、

「ありがたく頂戴《ちょうだい》いたします」と、台詞《せりふ》口調で言った。

彼女の態度が明るいのはいいことだが、馬見原はまだ慣れないところがあり、

「昼めしのあと、ちゃんと薬も飲めよ」と、念を押した。

「わかったから、そうと決まったら、さっさと出かけて、できるだけ早く帰ってきてください。じゃあ掃除を始めちゃうか」

「今日は買い物だけで、休んでろ」

「動かないと、かえってよくないの」

あまりがみがみ言ってもと思い、

「とにかく、無理はするな。あと、捜査資料のあるあたりは、わかってると思うが」

「わかってます。手はつけません」

馬見原は、ポケットから手帳を出し、ペンを走らせた。そのページを破って、佐和子に差し出す。

「なんです?」

「携帯電話の番号だ」

佐和子は、驚いた顔でメモを見直し、

「掛けてもいいんですか」

「緊急の場合だけだ」

「若い人が、これをいつも使ってるでしょう。羨《うらや》ましいなぁって思ってたの」

彼女は嬉《うれ》しそうにほほえんだ。

馬見原は、彼女の見送りを受け、隣家の犬には吠えられながら、家を出た。

タクシーをつかまえられる駅前まで、公園沿いの道を歩いた。初夏の風が木々のあいだを吹き抜け、池の水面に波紋を立てる。

「なんとか、やっていけるだろう」

馬見原は、水の揺らぎを眺めながら、つぶやいた。

駅前のバス・ロータリーに着いたところで、背広のポケットに入れた携帯電話が着信を知らせた。脇道《わきみち》へ移動しながら、液晶画面を確認する。自宅の番号が表示されていた。通信ボタンを押し、

「どうした、何があった」

「あっ、本当につながった」

佐和子の明るい声が返ってきた。

「何があったんだ」

「違うの、本当に出てくれるのかどうか、心配になって掛けてみただけ。よかった、ちゃんと通じるのね」

佐和子の声が無邪気に響いたため、

「用もないのに掛けるんじゃない」

つい険しく言い返した。

直後に電話が切れた。馬見原は驚いた。機器の故障か、あるいは電波障害だろうかと、電話機を見つめ、

「もしもし」

と呼びかけ、耳を澄ませた。応答はない。相手があらためて掛けてくるのを待った。しばらく経《た》っても電話は来ない。仕方なくこちらから掛け直した。十回近くコールをして、ようやく相手が出た。

「もしもし」

佐和子の声が返ってくる。声が固かった。

馬見原は、おだやかな口調になるようこころがけ、

「どうした。何かあったのか」と訊《き》いた。

「べつに」

佐和子がぶっきらぼうに答える。

「どうして切った」

返事がない。彼は、苛立ちが声にあらわれないよう気をつけて、

「どうして急に切ったんだ」と、繰り返した。

「……怒ってる声なんて聞きたくない」と、佐和子が言う。

「怒ってやしない、何か起きたのかと思っただけだ」

「あんな声、出さなくてもいいでしょ。何よ、ひどく怒鳴っちゃって」

「……そんなつもりはなかった」

「せっかく退院して、これからは楽しく暮らしていけると思ったのに、いきなり怒鳴られて……嬉しいから、ちょっと掛けてみただけじゃないの。だって、まだ仕事場じゃないでしょ？　仕事中は悪いと思うから、いま掛けただけなのに」

「わかった」

「何がわかったの」

「悪かった」

「……謝ってるわけ?」

「そうだ。怒鳴って、悪かった」

「へえ……本当かな」

佐和子の声がやや明るくなり、「謝ってもらったなんて、いつ以来だろ……まあいいや、許してあげるか」

馬見原は、そっと安堵《あんど》の吐息をつき、

「じゃあ、切るぞ」

「ねえ、本当に七時には帰ってきますよね」

佐和子が甘えたような声で言う。

「ああ」

「腕によりをかけて作るから、早く帰ってきてよ、いいですね」

馬見原はもう返事をせずに電話を切った。電話機をポケットに押し込み、手のひらで顔をこする。思いどおりにならないことの不満や、感情を抑えて相手に合わせることの苛立ちを鎮《しず》めるように、目を閉じる。やっていけるのか、本当に……。

「やっていくさ」

みずからに言い聞かせるよう、つぶやいて、タクシー乗り場に進んだ。

新米の運転手は、杉並署までの道順を知らなかった。馬見原は、相手に裏道を教えて渋滞する通りを避け、住宅街のなかの道を南下した。杉並署の管轄《かんかつ》に入ってすぐの住宅街で、パトカーが止まっているのが見えた。

タクシーの運転手に、手前に停車するように告げた。パトカーのそばでは、見覚えのある杉並署地域課の警察官が、背広姿の若者に何か訊《たず》ねている。馬見原はタクシーをいったん降りた。

見ると、背広姿の若者は椎村だった。

「どうした」と、彼らに声をかける。

椎村が、馬見原に気づいて、顔をほころばせた。

顔見知りの三十半ばの巡査部長が、馬見原に敬礼をし、隣にいた二十代前半の巡査もそれに倣《なら》った。

「何かあったのか」

もう一度訊くと、椎村は気まずそうに頭をかいた。地域課の制服警官のほうも話しづらそうなため、先に運転手に料金を払い、タクシーを去らせた。

馬見原は、彼らに歩み寄り、あらためて目で問いかけた。鼻の赤い巡査部長が、実はと、椎村のほうを見てから、

「近所で不審者がうろついているとの通報があり、来てみますと、彼が民家をのぞい

ておりました。ペットの犬をかまっていたので呼び止めたんですが……」

椎村が、面目なさそうな苦笑を浮かべ、

「警部補が午前中お休みだったので、宿直事件を進めて、少しは報告できるようにしたいと聞き込みをしてたんです」

「宿直事件？」

「犬や猫を殺して、その死体を民家の前に置いてゆく事件です」

「あれか……」

気の重くなる話に、しぜんと吐息が洩《も》れる。

「警部補は、どうしてここに？」

「通りかかっただけだ。で、少しは進展したのか」

「それが、まだ……」

「目当てがあって、回ってるのか」

椎村は首を横に振った。

「いえ……ペットを飼ってる家の住民に声をかけて、怪しい者や、動物をいじめてた者を見かけなかったか、訊いていただけです」

「各町内会に、情報を上げてくれるように頼んでおきますか？」

地域課の巡査部長が言葉をはさんだ。

馬見原は、周囲の住宅街を見回し、

「まあ、期待はできんがな」

巡査部長も同様に周りを見た。

「近頃は、プライバシーの問題がうるさいですし、町内会も住民全員が参加しているわけじゃありませんからね。相互扶助の精神が失われ、各世帯が孤立してるというか、共同体としての意味が、町全体で崩れかけてます」

「ともかく、やらんよりはましだろう」

馬見原は言って、椎村に顔を戻した。

「大体どんな状況なんだ、動物虐待《ぎゃくたい》は」

「数としては、かなり増えてるようです」

椎村が手帳を開いた。「本庁のコンピューターで類似事件を調べ、担当者にも訊ねてみました。予想以上に動物虐待は多い一方、基準があいまいで、正確な統計はつかめていないそうです。地域性もとくになく、ペットブームの暗い一面というのか、近隣の生活安全課に訊ねても、最近ますます増加の傾向があるようです」

「どういうケースがある」

「まず遺棄《いき》、放置ですね。それから餌《えさ》をやらない、排泄《はいせつ》の世話をしないという、養育拒否。次に殴る蹴《け》るといった暴力行為。バカ犬などと罵倒《ばとう》する言葉も、動物にはストレスを感じさせる虐待行為だとする専門家がいます。でも……これって何かに似てませんか」

馬見原はうなずいた。人間の子どもに対する虐待行為と、ほとんどそれは重なる。人と動物を安易に結びつける気はないが、加害者の動機や精神の根底にあるものが似ているのかもしれない。児童虐待も動物虐待も昔から存在したことではあろうが、これほど目立つ形で増えてきていることに、何がどういったかたちで影響しているのか、またしていないのか……だが深くものを考えるのは、進路を決めた若い頃から自分のガラではなく、しょせんは公務員という一労働者の役目でもないと思い、目の前のことのみに意識を戻す。

「ほかには、エアガンで撃ったり、ひどいのになると、刃物でからだを傷つけたりするケースがあります。殺したペット動物の死体を、民家の前に置いていく行為は、単発ではときおりありますが、連続でというのは、実は珍しいことのようでした」

「この近くで起きたのか」

「はい、一件はすぐそばです」

「うちの管轄で起きたのは、二件だな」

「はあ……通報されたものは、そうです」

椎村の顔に微妙な変化がうかがえた。何か言いたいことがあるのが感じられ、

「ご苦労さん、もう行っていいよ」

馬見原は、制服警官たちに手を挙げた。

彼らは、そろって敬礼し、

「各町内会のほうへは、連絡を回しておきます」と、巡査部長が言った。

パトカーが去るのを見送り、馬見原は椎村に顔を戻した。

「実は、隣の世田谷署に、自分の同期がおります。その者の情報ですと、うちとよく似た事件がひとつ起きてました」

「民家の前に、動物の死体を置くのか」

「だけでなく、変な紙も一緒です」

先日の練馬署で、椎村からそんな話を聞いていたのを思い出した。

「その紙ってのはなんだ」

「置き手紙と言いますか。動物のからだの下に、文字を打った紙が置かれてました」

「内容は」

「コピーしてます」

椎村が、紙を二枚、背広の内ポケットから出した。

馬見原は一枚目の紙を広げた。パソコンで打ったものらしく、明朝体《みんちょうたい》の印刷文字が整然と並んでいる。

『これは爆弾なのだ』

と書かれている次をざっと読んで、思わず眉《まゆ》をしかめた。

「おかしいでしょう？　ちょっとわけがわかりませんよね」

椎村が同意を求めるように言う。

馬見原は、もう一度、ゆっくりと読んだ。

『これは爆弾なのだ。

マイホーム主義は洗脳なぁのだ。

マイホームを持つことが家族の夢となったのは、ごく最近のことにすぎないのだ。国民の消費を上げるために、政治、行政、経済界が一体とにゃって、マイホームを得てこそ、人間は一人前だという意識を、教育やＣＭや歌やドラマまで使って、人々の心に刷り込んできたのら。

人間は、マイホームなんて関係にゃく、幸せな家庭を築けるはずなぁのだ。

マイホームを得るための生活に疲れ、本当に、子どもや孫の幸せに必要な、平和や、環境や、政治や福祉のありかたを考えることが、いわば置き去りにされたのだ。

マイホーム主義は、あなたの目を閉ざす、マインド・コントロールなぁのだ』

馬見原は、もう一枚の紙を広げた。

同じようなことが、同じように、ちゃかした文体で書かれている。

『これは爆弾だす。

自己満足の奴隷《どれい》になっちゃダメだす。

二十年、三十年にわたる借金をして得た家も、借金を終えれば、きっとまた建て直さねばなんねーだす。

その前にも、修繕が必要だす。違法建築や、建築ミスで、生涯苦しむことも少なくないだすよ。まるでカゴのなかの、二十日ねずみも同じじゃねーだすか。

自分が買ったカゴのなかで、懸命に走りつづけて、力つきて倒れるとき、残るのは、実は家じゃねえだす。

ただ、家を一時的に〈所有〉したという、自己満足の意識だけだす』

馬見原は顔を上げた。

椎村の、困惑している一方で、少しおかしそうに笑っている目がある。

「こんなものを、動物の死骸《しがい》と一緒に残して、なんのつもりでしょうか」

馬見原はもう一度周囲の住宅を見回した。

遠くに子どもが遊んでいる姿があるほかは、いまは人けがない。表通りの車の音と、どこかで住宅の工事をしている音が響いてくるだけで、人の声も聞こえない。すぐそばの家の庭には、タイサンボクが植えられ、塀越しに純白の花が咲いているのが見えた。

人々の懸命な暮らしを、平気でちゃかして、ふざける連中がいることが、馬見原には実感として伝わってこない。

「世田谷署の事件でも、似たような紙が残されていたのか」

椎村はそうだと答えた。コピーはもらえなかったが、文面を教えてもらったという。

馬見原は、椎村の手帳から直接読んだ。

『あなたの不幸は、苦労して、マイホームやマンションを得たことに発している。路上生活を余儀なくされた人のなかには、ローンを払えず、家を捨てた人がいる。みずから死を選んだ人のなかには、家を買わなければ、追い込まれずにすんだ人もいる。新しい家に子ども部屋を作ったばかりに、子どもとの距離ができた親もいる。

用心せよ。家は人を追いつめる』

馬見原は、手帳の文面と、先に渡されたコピーとを見比べ、

「手帳の文章は、言い回しというのか、語尾もこの通りだったのか」

「いえ、世田谷の同期生は、内容を伝えてくれるときに勝手に言い変えて、こうなったんです。本物は、先の二つと同じように、ちゃかした言葉づかいだったそうです。アニメや漫画から採ったんでしょう。ふざけてますよ」

馬見原は、先の二つの文章も、語尾をまじめなものに変え、読み返した。視点がひねくれ、考え方にいびつな点はあるが、ゆがんだなりの知性も感じる。

衝動的に動物を虐待したというのではなさそうだった。通り魔的ないたずらより、犯人像は絞り込みやすいかもしれない。だが、同様の犯行をつづける可能性も高い気がした。刑法的な面では、決して大きな事件とは言えないが、犯人の精神状態を考えると、不穏な印象をおぼえる。

馬見原は、手帳とコピーを椎村に返し、被害にあった近くの家に案内させた。

この家です、と椎村が示したのは、住宅会社のテレビコマーシャルにでも使われそうな、洒落《しゃれ》た三階建ての家だった。

その家の玄関先に、猫の死体が置かれ、からだの下に、馬見原が最初に読んだ文章を記した紙が敷かれていたという。

馬見原は家の周囲をざっと確認した。

「家族に、恨みを買うような心当たりは？」

「ないそうです」

「こうした文章を書いてくる人物についてはどうだ」

「それも心当たりはないそうで」

「三つの事件の被害者に、共通点はないのか。たとえば、どれも一戸建てか」

「ええ。世田谷の家も見てきましたが、新築のきれいな造りで、人から羨《うらや》ましがられるような家でした」

「職業的なことではどうだ」

「つながりはありません。杉並のもう一件は、銀行の支店長、妻は専業主婦……世田谷は、宅配会社の商品管理課長、妻はアパレル関係の会社勤務。この家は、戸主は中堅の機械メーカー勤務で、妻は専業主婦。子どもは高校生の男子と中学生の女子。まあ、絵に描いたような平凡な家庭です」

「……どうしてわかる」

「何がです」

馬見原は椎村に厳しい視線を向けた。

「絵に描いたようなだの、平凡だのと、どこまで調べた上で言ってるんだ。家族全員の交遊関係、思想、内面の欲求」

「いえ、あくまで被害者ですし、プライベートなところまでは」

「だったら、わかったようなことを言うな」

「……申し訳ありません」

「猫のほうに手掛かりは？」

椎村は、慌《あわ》てて手帳をめくり、

「もう始末されてますので……オスで、首輪はなかったということくらいです。かわいそうに、首を絞められたようです。残されていた紙は、通常販売のパソコン用の印刷用紙でした。三件とも同じです。指紋は検出されていません。ほかには、ええと……この家では死んだのが黒猫だったこともあり、家の者が不安がってます」

「恨まれる心当たりはないんだろう」

「ですが、たとえば、子どもがいじめを受けているとか、逆に誰かをいじめて、嫌がらせを受けてないかとか……夫婦のどちらかに、不倫か何か秘密の関係があるんじゃないかなんて……疑心暗鬼になってるそうです。せっかくリフォームして、新しい家に建て替えたばかりなのに、家のなかが暗くなったと、奥さん、こぼしてました」

「たかが、猫の死体ひとつでか」

「ええ。だから早く解決してくれと」

馬見原はあらためてその家を見回した。全体が明るいデザインで、落ち着きもあり、このような家をいつかは持ちたいと望む者も少なくないだろう。

「もろいじゃないか」

馬見原はつぶやいた。

「え……」

「たかがいたずらで、もろいじゃないか」

もっとしっかりしたらどうだ、こんな汚い行為に負けず、家族同士が信頼し、結束し合ったらどうだという想《おも》いがつのる。

だが、自分にそれを言う資格があるのかと、すぐに苦いものがこみ上げて、消え入るようなつぶやきにしかならない。

背後からサイレンの音が近づいてきた。先ほどのパトカーが現れ、馬見原たちの前で停まった。鼻の赤い巡査部長が、窓から顔を出し、

「現場急行の無線が入りました」と言う。

馬見原は、車の助手席側に回り、耳を傾けた。無線を通じて、警視庁通信指令セン

ターからの声が、雑音まじりに聞こえる。

〈下井草二丁目……児童遊園の奥を入る……麻生陽一宅……〉

「何があった」

巡査部長に訊《き》いた。

「民家の一室で三人、人間か人形かわからないが、倒れているそうです」

「人間か、人形……?」

「どうも通報者が混乱しているようですね」

「現場は近くだな。一緒に行こう」

馬見原は後部座席に乗り込んだ。

「あ、待ってください」

椎村があとにつづいた。

通報のあった現場付近には、マスコミや野次馬はもちろん、通報者の姿もなかった。人けのない住宅街が、強い日差しの下、アスファルトの地面にへばりついているように見える。

馬見原は、椎村とともに現場の住宅に進み、制服警官たちが通報者の部屋に向かった。

『麻生』と表札の出ている門の前に立って、馬見原はすぐに異臭に気づいた。経験上、何度も嗅《か》いだことのある特別の臭《にお》いだ。椎村も臭気には気づいたようだが、経験が浅いためか、何によるものかわかっていない様子だった。

新聞受けに新聞と郵便物が溜《た》まっている。証拠を消さないよう気をつけて、一番下の新聞の日付を確認した。四月二十八日の朝刊だった。

馬見原はいったんパトカーへ戻った。トランクを開け、備品箱からビニール製の手袋と靴袋とを二組ずつ取る。後ろからついてきた椎村に、一組渡した。万が一のことを考え、手袋と靴袋をもう一組ずつ、ポケットに収めた。

「入るのは、話を聞いてからだ」

椎村に言って、懐中電灯のライトがつくかどうか確かめながら、巡査部長たちが向かったアパートに目を移した。

ほどなく、三十歳前後の男を連れ、巡査部長たちが戻ってきた。

「通報者の巣藤浚介さんです」

巡査部長が報告した。

巣藤というその男性が警察に通報したのは、麻生家から自分の部屋に戻り、しばらくしてからだという。

彼には、正確な時間の経過がよくわかっていなかった。ほとんど記憶を失った状態で麻生家から戻り、我に返ると、着ていた衣服が嘔吐物《おうとぶつ》に汚れているのに気づいた。衣服を脱ぎ、シャワーを浴び、新しいトレーナーとジーンズに着替えるあいだに、いくらか冷静になって、ようやく警察に通報することを思いついたらしい。

馬見原は、彼の話を、せかすことも、口をはさむこともせずに聞いた。相手は、かなりの精神的なショックを受けている様子だった。立ちくらみをおぼえるのか、話しているあいだも、からだがふらふらと揺れる。危うく倒れそうになったため、彼をパトカーの後部座席に座らせて、

「確認しますが、あなたは一人で室内に入ったんですね。家の周囲には誰もいなかったし、なかから誰も出てこなかった。そうですね？　室内がどんな様子だったか、くわしく話していただけますか」

巣藤は、いまも混乱状態のなかにいるのか、話しだすまでにずいぶん時間がかかり、ようやく口を開いても、断片的なことしか思い出せない様子だった。

ともかく、男女二人が、背中合わせでベッドの上に座っており、少しも動かない。また、老人が椅子《いす》に縛りつけられ、やはり動かない。彼は、それらを蠟《ろう》人形ではない

かと思って、しばらく放心して見つめていた。だが、やがて人形のからだの上に、あるものを見たという。それは何かと訊くと、

「……虫です」

巣藤は、言葉少なに答え、あとは首を横に振るばかりだった。

馬見原は、彼を休ませるように、若い巡査に言って、

「玄関までは、立会いがいたほうがいいな。彼にはちょっと無理だ。向かいの住人を訪ねてみてくれ」

椎村と巡査部長に命じた。

二人が麻生家の正面の家を訪ねているあいだ、パトカーの座席にもたれている通報者の顔色を確かめた。

「大丈夫かね」

巣藤がうなずいた。声は出ない。

「鍵は掛かっていたんだね、表も裏も」

その点だけははっきり確認しておきたかった。

巣藤は、あえぐようにして息を整え、

「掛かってました」と答えた。

「なのに、どうしてなかへ入れたのかね」

彼の話によると、勝手口の掛け金が、軽く引いただけで外れてしまったらしい。

やがて六十歳前後だろうか、髪の白い婦人が、椎村たちに案内されて現れた。

馬見原は、怪訝《けげん》そうな表情の彼女に対して、

「麻生家の人々の安全を確認するために、緊急に家のなかへ入る必要があります」

とだけ説明し、室内に入るまでの立会いを求めた。

巡査をパトカーのところに残し、巡査部長には麻生家の門前で待機させて、誰も近づけないように命じた。

半分開いていた鉄の門扉《もんぴ》を押し開け、足跡がないか、あれば消さないよう椎村と婦人に注意して、麻生家の玄関先まで進んだ。玄関ドアをノックしたあと、手袋をした手で、慎重に把手《とつて》を引く。確かに鍵《かぎ》が掛かっている。

「勝手口のほうへ回ります」

立会いの婦人に告げて、裏手へと移動した。そのあいだ彼女に質問して、麻生家の家族構成が、四十代の夫婦と、中学三年生の少年、少年の祖父の四人であることを確認した。さらに、ここ数日は麻生家の人々の姿を見かけていないこと、異臭には一昨日あたりから気づいていたこと、そして一年ほど前から、中学生の息子が家庭内で暴

れていたらしいことなどを聞き出した。

麻生家の勝手口のドアは開いていた。内側から強い異臭が流れてくる。柱の一部が腐っていて、掛け金の受け口が外れやすくなっていた。

「麻生さーん、いらっしゃいますかー」

馬見原は、なかに向かって数回声をかけた。靴の上にビニールの靴袋をかぶせて、

「じゃあ、入りますので」

立会いの婦人に告げてから、キッチンに踏み入った。懐中電灯をつけ、蛍光灯のスイッチを探しあてる。白い光がキッチン全体を浮かび上がらせた。少なくとも荒らされた印象はない。

勝手口を振り返り、このまま奥へ進むことを告げた。椎村も靴袋をはいて上がってくる。

口もとをハンカチで押さえ、キッチンの横にあるリビングへ進んだ。広いリビングには、テーブルと数脚の椅子、高級食器棚、革張りのソファセット、大型テレビも置かれ、表面上は中流以上の生活を感じさせた。

だが、食器棚は扉ガラスの半分が割れており、テレビもブラウン管がなく、ぽっかりと空洞があいたままになっている。ソファセットにも刃物のようなもので切り裂か

れた跡があり、裂けた部分は中途半端《はんぱ》にガムテープで止められていた。

馬見原は、椎村に対して現場の保存に気をつけるよう注意し、玄関ドアの内側へ出た。ドアには鍵だけでなく、チェーンも掛かっている。廊下を奥へと進むと、二階へつづく階段があり、上からも異臭が漂ってくる気がした。少し迷ったが、

「こっちに行くぞ」

最も異臭を感じる奥へ、廊下をまっすぐ進んだ。部屋のドアは開いていた。これまで以上の強い臭いに、息を止めた。

背後の椎村が咳《せき》こみはじめる。ドアの前には、乾いていない嘔吐物があった。巣藤浚介が自分の衣服が汚れていたことを語ったが、たぶんこれがそうなのだろう。

大股《おおまた》でそれをまたぎ、ドアのあいだから現場をのぞいた。

目にした情景を、現実のこととして理解するのには、しばらく時間が必要だった。

理性が働く前に、からだが反応して、かすかに足がふるえる。

「そこにいろ」

椎村に言った。声が喉《のど》にからんで、はっきりとした音にならない。証拠を消さないよう、慎重に室内へ踏み入った。

ダブルベッドの上に、裸の中年男女が、背中合わせに座らされた恰好《かっこう》でいた。

二人は互いに両手を後ろ手にされ、ネクタイで縛られている。両足も、膝《ひざ》から足首にかけて三本のネクタイで縛られていた。

彼らのそばに進み、目だけで検視をおこなう。二人とも、腕と肩と胸など、数カ所に切り傷があるが、傷は浅く、致命傷ではない。二人の首にはそれぞれ色違いのスカーフが巻かれ、どうやらそれで首を絞められたものらしい。遺体はすでに腐敗がはじまっている。

馬見原は、ハンカチの内側で息をつき、窓際《まどぎわ》の椅子に縛りつけられている老人のそばへ移動した。やはり腐敗がはじまっている。巣藤が見たのは、腐肉に涌《わ》く虫だった。

「警部補、救急車を呼びますか」

椎村がドアの外から言う。いまにも泣きそうな声だった。

「至急、本庁へ連絡」

馬見原の声はかすれた。息を整え、声が平静になるように努めて、

「本庁へ連絡。殺しだ。死後推定、五日前後。司法解剖を頼むように言え。室内はもちろん、庭など家の周囲は完全に保存。以後、家の周囲で何かがなくなったり、遺留品が証拠として使えなくなったりしたら、すべておまえの責任と思え。ここ数日雨が降っていたことも考慮しろ。麻生家を受け持っている派出所に連絡して、巡回担当者

に連絡簿を持って来させろ。近所の人間も確保、マスコミに対してまだ何もしゃべらないよう強く念を押しておけ」

「わかりました」

椎村は、殺人と聞いた緊張と、何よりこの場を離れられることの安堵《あんど》によってだろう、すぐに廊下を引き返していった。

馬見原は、肩を落とし、ため息をついた。ふたたび息を吸うことがためらわれる。鑑識課や初動捜査専門の機動捜査隊の連中が駆けつけてくる前に、事件のおおかたの筋を把握しておこうと、もう一度死体を検視し、凶器を想像した。

男女の傷口は、鋭利な刃物によるものではなかった。一種奇妙な創傷痕《そうしょうこん》だ。

馬見原は、ベッドの下を確かめ、絨毯《じゅうたん》の上に、ノコギリが転がっているのを認めた。

まさか、そんなことが……。

人の生身をノコギリで引けば、痛みはいかばかりだろう。とても信じられないが、傷口とは一致する。だとしたら、叫び声はすさまじかったに違いない。被害者の口には、いまは何も入っていないようだが、それぞれの足のあいだに、布を丸めたものが落ちている。

夫婦は寝込みを襲われ、ネクタイで縛られたあと、口には布を押し込められて、ノコギリでの凶行にあい、最後は首を絞められた……馬見原は犯行のあら筋をそう読んでみた。

老人のほうは、着物の紐のようなもので、椅子に縛りつけられている。外傷は見当たらない。首を絞められたようなあともない。年齢から見て、心臓か脳に急性の障害が生じた可能性はある。

このむごい犯行の動機を求め、馬見原は室内を見渡した。被害者の状態とは対照的に、部屋が荒らされた形跡はない。ほとんど手をつけられていないと言ってもよく、きれいに整理されたままの部屋の様子は、かえって不自然に思えた。ふと、ベッド横のサイドテーブルに、小さな木製の写真立てが、わざとなのか、表を伏せて倒されているのを見つけた。

慎重に歩み寄り、写真立てを起こした。表面のガラスに、ひびが入っている。写真はサービス判で、隅に撮影日が焼き込まれていた。三年前の八月だった。ベッドの上で亡《な》くなっている男女と、椅子の上で亡くなっている老人、そして小学校五、六年生くらいの少年の四人が海をバックに笑っている。夏休みの家族旅行のものだろうか。少年は、三人の大人の前で、ピースサインを出し、楽しそうに笑っていた。

馬見原は、その場所に見覚えがあった。海を背景に、日本列島最北端を指標する碑が立っている。息子の勲男が小学校に上がった頃、まだ幼かった真弓も連れ、佐和子と四人で、馬見原たちも出かけた。北海道の宗谷岬……。

勲男は父親がそうした行為を嫌っていたからか、ピースサインなどは出さなかった。あの子は写真に撮られるとき、笑っていただろうか。家族旅行を本当に喜んでいただろうか。そんなことを頭の隅で思って、もう一度手に持った写真の、少年の笑顔に目を注いだとき、言い知れぬ不安をおぼえた。

「この子は、どこだ……」

あらためて部屋を見回した。現場の凄《すさ》まじさに、大切なことを見落としていたのかもしれない。

部屋を横切り、一方の壁全体に取り付けられているクローゼットを開いた。衣服とバッグ類以外のものは置かれていない。

ドアのほうに戻り、敷居ぎわで新しい靴袋にはき替えた。汚れた古い靴袋は、証拠収集用の袋に入れ、ポケットにしまった。

廊下を戻って、階段脇《わき》のドアを引く。

風呂場《ふろば》だった。脱衣場の奥へ進んで、仕切りの戸を開き、懐中電灯を向ける。シャワーのカランの下に、濡《ぬ》れた下着とパジャマが落ちていた。下着は男性用で、パジャマも色や柄から、若い男性用だろう。血がついているようだ。もしやと思い、浴槽のなかを照らしてみた。水は入っておらず、人の姿もなかった。

風呂場を出て、階段の下に立った。二階に向けて懐中電灯を振る。足跡らしきものは見当たらない。

「誰かいるかね」

声をかけ、階段をのぼっていく。ギイ、ギイとかすかに板が軋《きし》んだ。二階のすぐ右手に部屋があった。襖《ふすま》を開く。八畳の和室だった。家具調度は古風なものが多く、たぶん先ほどの老人の部屋なのだろう。

異臭は向かって左の部屋から感じる。こちらは洋室なのか、入口はドアになっていた。指紋を消さないようにドアノブをつかみ、静かに引いた。

窓にカーテンがかかっていたため、室内は暗かった。懐中電灯の光をなかに向けて、ゆっくり移動させてゆく。人影らしきものが光の輪のなかに浮いた。

「おい」

声をかけたが反応はない。部屋のスイッチを探し、天井の蛍光灯を灯《とも》した。

ベッドの脇に、全裸の人の姿があった。こちらに背中を向けている。体格からして、少年らしい。肌の色が悪く、やはり腐敗がはじまっているようだ。

現場の状態を崩さないようにして、少年の顔が見える位置に移動した。

少年は、絨毯に膝をつき、上半身をベッドに預けて、手を顔の下に置いている。まるで祈りを唱えているような姿勢だった。

喉に深い傷があった。ベッドのシーツが赤黒く染まり、見た目ではまだ乾ききっていないような感じがある。ただし、馬見原の予想とは異なり、少年はどこも縛られてはいなかった。裂けた喉のところに回された少年の右手には、大型のカッターナイフが握られている。

馬見原は、この状況が示す事件の筋が、よく理解できなかった。

いや、実際には理解できるのだが、それを自分の心に納得させられない。

なぜなら少年は、まるで神に祈りを捧《ささ》げ、許しを乞《こ》いつつ、自分で喉を切ったように見えるではないか……。

いったん少年から目を離し、冷静さを取り戻すためにも、端のほうから順に部屋を見回した。

壁はもちろん天井にまでアニメや女性アイドルのポスターが貼《は》られている。だが一枚として、きれいな状態のものはない。すべてどこか破れたり、スプレーで汚されたり、鈍器で殴ったのか壁ごと陥没したりしている。

床一面には、漫画や雑誌、タレントの写真集、CDやテレビゲームのカセットなどが乱雑に置かれている。本棚は乱れ、タンスのドアは割れていた。

家庭内で暴れていたようだという、婦人の証言が思い出される。

少年の足もと近くには、学校での技術の授業に使われるような道具箱が広げてあった。カンナや金槌《かなづち》などの木工道具が箱の内外に散らばっている。ノコギリだけは、箱の内にも外にも見当たらない。道具箱の裏蓋《うらぶた》には、『1年C組　麻生達也《たつや》』と、マジックで書かれていた。

馬見原は、混乱するばかりの自分の考えを助けてくれる何かを求め、窓際の勉強机の前へ歩み寄った。

机の上は意外に整理され、一冊の大学ノートが置かれていた。ノートは開かれ、白い紙の上に、崩れた文字が書かれている。近くにサインペンも転がっていた。

文字は、涙のあとだろうか、ところどころがにじみ、読みづらかったが、それでも確かにこう読めた。

あいを　みました
ほんとうの
あいを　みました
ありがとう
もっと　はやく
きづけば　よかった
ごめんね

たつや

馬見原はしばらく顔を上げられなかった。

「ばかな……」

無意識のうちに洩《も》れた声が、やけに大きく室内に響いた。

次々に見えてきた状況をつなぐと、事件はひとつのまとまった形を結ぶ。

だが彼は、それを受け入れる気には到底なれない。

冬島綾女の部屋で読んだ、新聞記事の切り抜きの内容が、幾つもつづけて思い出される。それは読者たちが投稿した、家族のあいだの、心温まる場面をつづったものだ。

残念なことに流産した主婦は、夫や義母が優しく接してくれた上、三つになる長女が、ママ早く元気になってね、と励ましてくれたことに、生きていることの幸せを噛《か》みしめていると書いていた。

八人家族でいつも喧嘩《けんか》ばかりしていた兄妹たちが、昨日、姉が結婚して家を出たら、みんなが急にしょんぼりして、寂しくなったという。姉を恋しがる兄妹たちの想いを、九歳の男の子が代表して、たどたどしい言葉でつづっていた。

父親がリストラで退職となったため、進路に悩んでいた女子中学生は、どんな道に進もうと、きっと支えるから大丈夫と言ってくれた、両親の愛情に感謝していた。

大往生のおばあさんを、家族全員で見送り、おばあさんが好きだった『ふるさと』の唄《うた》を、葬儀場で大合唱したという記事もあった。

家族とはそういうものだ。馬見原は思う。家族とはそういうもののはずだ。

そうじゃないのか?

頭のなかで、嘲笑《ちょうしょう》する声が聞こえた。世間をよく見ろ、と聞こえる。社会を見回せ、昨日の新聞の事件欄を広げてみろ、今日のテレビのニュースをよく見ろよ。

家族のあいだで、どんな事件が起きている？

警察には、家族が関わったどんな事件が持ち込まれている？

いや、そんなことより、まずおまえの家族はどうなんだ……。

笑い声が頭のなかで響く。幻世《まぼろよ》だからねえ、という母のあきらめたような寂しい声も聞こえた。

首を横に振った。嘲笑も、声も打ち消し、自分に言い聞かせる。

そうだとしても、家族がつねによいものではないとしても、ときに傷つけ合うものだとしても……また、この世界が虚《むな》しく、報われることの少ない、つらいものであるとしても……ありえない。

子どもが家族にあんなことをするはずがない。ばかな、あってたまるもんか。

家族はそんなことはしないんだ。家族なら絶対にない。

馬見原は、祈るように、みずからに言い聞かせつづけた。

『幻世《まぼろよ》の祈り』あとがきにかえて

この本を手にとってくださった読者の皆様へ。『あふれた愛』以後、執筆にかかっていた作品を、ようやくお届けすることができます。急いだつもりでも、約三年の歳月が過ぎており、待っていてくださった方々には、心より感謝申し上げます。

本作品は九五年に発表した『家族狩り』と同タイトルです。わかりやすく前作を95年版と呼ばせてください。今回は、文庫で全五部作、それぞれにタイトルを冠し、独立しても読める質の作品を目指しました。基本的な登場人物や、主要な事件は、95年版と同じですので、書き替えもしくは加筆訂正と思われるかもしれません。けれど事情はずいぶん違っています。今回のような場合には、たとえ言い訳に聞こえたとしても、やはり皆様への確かな説明責任があると思われ、この点について書かせていただきます。

いま現在、日々を懸命に生きている人々に、届ける必要がある物語や言葉は何か。それが作り手としての私の最も重要な創作動機であり出発点です。

『永遠の仔《こ》』の執筆と、その後寄せられた数千通に及ぶ読者の手紙により、私は明らかにそれまでの自分とは変わったことを意識しています。これをもとに『あふれた愛』を執筆し、さらに内面での成長や変化を発展させた作品を読者に届けようとしたとき、ちょうど『家族狩り』を文庫化する時期を迎えました。

もちろん95年版のまま文庫化し、いま必要と感じる問題は、まったく別の新作で展開すればよかったのではと思われる方もいらっしゃると思います。『家族狩り』を新たな形で書き下ろすことを選択した理由の一つは、自分の内面の問題とあわせ、現在の社会状況が関係しています。

95年版を執筆当時、いまと同様さまざまな社会問題が起きていました。その解決案の一つとして「家族にかえろう」という風潮が、メディアや表現の世界に多く見られ、私はそれをうさんくさく感じていました。家族が崩れたことで生じた問題が多々あるのに、解決もしないまま、ともかく家族にかえろうとすると、結局は家族内の弱いものに我慢を強いることになる、ことに子どもにしわ寄せがゆくのが明らかだったからです。

九五年以降、はたして社会は良くなったろうか……どんな事件が起きてきたろうかと考えます。以前にも増して、子どもに関係している事件、家族間の事件が目立ってきた気がします。被害者に対する想像力を欠いた、自己にとらわれた犯罪が横行し、当事者はもちろん、そのニュースにふれた人々をも傷つけています。

一方、世界に目を転じると、多くの紛争が未解決のまま、むしろ悪化し、暴力の連鎖は、一定の地域の問題ではなく、世界規模になりつつあります。

こうしたいまを生きている人々に、時代背景と密接に関係している『家族狩り』の物語を、旧来のまま届けることがよいのかどうか、送り手としてためらわれました。

私には、いまのこの複雑な世界を把握したいという欲求があります。やりきれないことばかり起き、報われることの少ない世の中に、それでも生きる価値を、物語を通して模索したいという想《おも》いがあります。小さな家族の物語と、さまざまな個人の生き方が交錯し、世界的な問題とも重なり合う、この『家族狩り』というモチーフ（素材）には、自分なりにいま最も重要と考えることを的確にあらわせるテーマが、なお多くひそんでいました。

テロや紛争、飢餓《きが》や病気の蔓延《まんえん》などは、本当に遠い世界のことだろうかと考えます。通常言われてきた意味での、遠い近いではありません。

たとえば、貿易などを通して経済的に密接な関係があるとか、日本も国際協調の道を歩むのであれば、戦いに巻きこまれる可能性があり、もう遠い国の問題とは言えないとか、そういった目に見えるかたちでの遠近感ではなく……。

日本で起きている殺人や暴力、虐待《ぎゃくたい》や自殺、多発する事故や汚職などの経済事件、加害者への軽い罰と、被害者を軽視する姿勢……それらは世界で起きている悲劇と、少しも関連はないのか。目には見えないけれども、実はどこかでつながっているのではないかという意味においてです。

目の前で起きている問題と、世界で起きている悲劇とが、何かしらの回路でつながっているとしたら……各地でつらい想いをしている人の存在に無関心でいて、身近に起きている問題を、解決に導くことなど不可能ではないでしょうか。逆に、身の回りの小さな悲劇を、世界の前ではたわいのないこととして無視するのは、結局は世界にあふれる悲しみを、放置することになるのではないかと思います。そうしたことに、しっかり目を向けた上で、ではどうすれば、虚《むな》しさやはかなさにも耐え、この世界に生きゆく価値を見いだせるのか……『家族狩り』の登場人物とともに悩み、解決策などありえないにしても、経過報告だけでも届けたいと願ったのです。

ちなみに95年版は単行本として新潮社に残してもらえることになっています。天童荒太としては二作目にあたる、三十二歳から三十五歳にかけて執筆した作品でした。

一作目の『孤独の歌声』が、サスペンス・ホラーというジャンル分けされた小説募集に応募して、出版に到りましたので、二作目も同様の方向性が求められました。何がホラーかよくわからず、ともかく逃げられないものは怖いだろう、では人が逃げられないものは何かと考えたのを覚えています。すべての人が共有し、権力も富も意味をなさない、誰もが等しく悩む可能性があるもの……。その答えが家族でした。先にも書きましたが、「家族にかえろう」という風潮への反発もあってのことです。家族の問題は安易に、また他人事《ひとごと》ととらえていては、きっと誰もがつらい想いをするという予感もありました。

発表当時、未熟な点が多々あったにもかかわらず、好意的な評価をくださった読者や評論家の方がいて、強く励まされました。さらに望外のことでしたが山本周五郎賞をいただき、『永遠の仔』を執筆する際の、長い時間と精神的な重みに耐える力を授けてもらいました。『家族狩り』がなければ、以後の作品は違ったものになったでしょう。いまでも本作と、支えてくださった人々には感謝しています。

そして、その作品をまっすぐ文庫化しなかったことに、後ろめたい想いもなお残っています。通常、単行本を発表した数年後に出される文庫は、普及版という扱いで、もとの作品のまま刊行されるのが、ほぼ慣例となっています。大きな賞も受けた作品であり、不満をもたれる方もいらっしゃるだろうことは承知しています。ですが、悩んだ末に、自分の考えるところと切迫した創作衝動を優先させていただきました。長い目で見れば、きっと多くの読者の期待にかなうものと信じてのことです。

もちろん、実際どう評価されるかは、読者にゆだねるほかありません。私自身は、今回の仕事で多くの発見をし、表現者としての成長を得ることができました。勝手な思い込みではありますが……作家として、またいまこの時代を、多くの人とともに生きる一個人として、どうしても、この形で書かねばならなかった、その想いは遂げられたと感じています。


今回の刊行形式についても、説明させてください。作品の形が見えてくるに従い、編集者と発表方法を何度も話し合いました。原稿用紙にして、二千二百枚近くになり、95年版と比べても、ほぼ九百枚増えています。

単行本の形式では、大きな負担を読者にかけるため、あくまで文庫形式でと考えると、五分冊になる計算でした。その時点で、私のなかに、五部作の体裁で作品を構成し、一部一部、読者にも大切に届けるため、月に一冊ずつ刊行するという考えが浮かびました。新潮文庫では、スティーヴン・キングの『グリーン・マイル』という同様の刊行形式をとった先例があったのは幸いでした。それにしても異例なことでしたが、新潮社は本作品を信頼して、希望通り、五部作、月一冊刊行の形式を採用してくれました。

次の一ヵ月まで読者が待ってくれるのか、五冊も手に取りつづけてもらえるか、不安はいまもあります。けれど形式はどうあれ、こちらにできるのはつねに読者を決して失望させせないよう努めることだけでしょう。

一方、この形式にしたことで、別の効果も生まれました。実は、この第一部が刊行される段階で、物語は最後まで製本されてはいません。つまり手を加えることがまだ少しだけ許されているということです。〈対話〉ということが、『永遠の仔』以後の自分のキーワードです。第一部、第二部、第三部……と届けたおりの読者の応答によって、作品がいま以上に成長する可能性があり、自分自身、緊張感をもって、それを楽しみにしています。

最後に、この物語には、現実に存在する場所や機関が多く登場します。話を展開する上で、フィクション（虚構）として活用させていただきました。各警察署と児童相談センターについては、働いている人だけでなく、助けを求めたり、相談に訪れたりする人が多くいらっしゃいます。そうした方々にまで迷惑が及ぶことは、まったく本意でありません。登場する人物の存在を含め、関係者や機関など、すべてが現実とは無関係の、物語内の虚構であることをご理解いただきたいと思います。

今回の刊行の形をとる条件として、新潮社側からは、五部作それぞれの巻末に、あとがきを求められています。附録《ふろく》のようなものとして、気軽にお読みいただければ幸いです。

長い物語です。決して楽しいだけの内容ではありませんが、大切な時間を費やして読まれるものです。やはり、どうぞ楽しんでくださいと申し上げます。

では、また、『遭難者の夢』のおりに。

二〇〇三年十二月

天童荒太

この作品は、一九九五年十一月に新潮社から刊行した
『家族狩り』の構想をもとに、書き下ろされた。

天童荒太著
孤独の歌声
日本推理サスペンス大賞優秀作

さぁ、さぁ、よく見て。ぼくは、次に、どこを刺すと思う？　孤独を抱える男と女のせつない愛と暴力が渦巻く戦慄のサイコホラー。

天童荒太著
遭難者の夢
家族狩り　第二部

麻生一家の事件を追う刑事に届いた報せ。自らの手で家庭を壊したあの男が、再び野に放たれたのだ。過去と現在が火花散らす第二幕。

天童荒太著
贈られた手
家族狩り　第三部

発言ひとつで自宅謹慎を命じられる教師。殺人の捜査より娘と話すことが苦手な刑事。決して器用には生きられぬ人々を描く、第三部。

天童荒太著
巡礼者たち
家族狩り　第四部

前夫の暴力に怯える綾女。人生を見失いかけた佐和子。父親と逃避行を続ける玲子。女たちは夜空に何を祈るのか。哀切と緊迫の第四弾。

天童荒太著
まだ遠い光
家族狩り　第五部

刑事、元教師、少女――。悲劇が結びつけた人びとは、奔流の中で自らの生に目覚めてゆく。永遠に光芒を放ち続ける傑作。遂に完結。

綾辻行人著
霧越邸殺人事件

密室と化した豪奢な洋館。謎めいた住人たち。一人、また一人…不可思議な状況で起る連続殺人！　驚愕の結末が絶賛を浴びた超話題作。

内田康夫著
幸福の手紙

「不幸の手紙」が発端だった。手紙をもらった典子の周辺で、その後奇怪な殺人事件が発生。事件の鍵となる北海道へ浅見光彦は急いだ！

内田康夫著
皇女の霊柩

東京と木曾の殺人事件を結ぶ、悲劇の皇女和宮の柩。その発掘が呪いの封印を解いたのか。血に染まる木曾路に浅見光彦が謎を追う。

内田康夫著
姫島殺人事件

夏祭りの夜に流れ着いた、腐りかけの溺死体――。伝説に彩られた九州の小島で潜行する悪意に満ちた企みに、浅見光彦が立ち向かう。

江國香織著
神様のボート

消えたパパを待って、あたしとママはずっと旅がらす…。恋愛の静かな狂気に囚われた母と、その傍らで成長していく娘の遥かな物語。

江國香織著
東京タワー

恋はするものじゃなくて、おちるもの――。いつか、きっと、突然に……。東京タワーが見える街で繰り広げられる狂おしい恋愛模様。

岡嶋二人著
クラインの壺

僕の見ている世界は本当の世界なのだろうか、それとも……。疑似体験ゲームの制作に関わった青年が仮想現実の世界に囚われていく。

小野不由美著
東京異聞
人魂売りに首遣い、さらには闇御前に火炎魔人、魑魅魍魎が跋扈する帝都・東京。夜闇で起こる奇怪な事件を妖しく描く伝奇ミステリ。

小野不由美著
屍鬼（一～五）
「村は死によって包囲されている」。一人、また一人、相次ぐ葬送。殺人か、疫病か、それとも……。超弩級の恐怖が音もなく忍び寄る。

恩田陸著
六番目の小夜子
ツムラサヨコ。奇妙なゲームが受け継がれる高校に、謎めいた生徒が転校してきた。青春のきらめきを放つ、伝説のモダン・ホラー。

恩田陸著
不安な童話
遠い昔、海辺で起きた惨劇。私を襲う他人の記憶は、果たして殺された彼女のものなのか。知らなければよかった現実、新たな悲劇。

北村薫著
スキップ
目覚めた時、17歳の一ノ瀬真理子は、25年を飛んで、42歳の桜木真理子になっていた。人生の時間の謎に果敢に挑む、強く輝く心を描く。

北村薫著
ターン
29歳の版画家真希は、夏の日の交通事故の瞬間を境に、同じ日をたった一人で、延々繰り返す。ターン。ターン。私はずっとこのまま？

黒川博行著
疫病神
建設コンサルタントと現役ヤクザが、産廃処理場の巨大な利権をめぐる闇の構図に挑んだ。欲望と暴力の世界を描き切る圧倒的長編！

小池真理子著
蜜月
天衣無縫の天才画家・辻堂環が死んだ――。無邪気に、そして奔放に、彼に身も心も委ねた六人の女の、六つの愛と性のかたちとは？

小池真理子著
恋
直木賞受賞
誰もが落ちる恋には違いない。でもあれは、ほんとうの恋だった――。痛いほどの恋情を綴り小池文学の頂点を極めた直木賞受賞作。

佐藤賢一著
双頭の鷲
（上・下）
英国との百年戦争で劣勢に陥ったフランスを救うは、ベルトラン・デュ・ゲクラン。傭兵隊長から大元帥となった男の、痛快な一代記。

志水辰夫著
行きずりの街
失踪した教え子を捜しに、苦い思い出の街・東京へ足を踏み入れた塾講師。十数年分の過去を清算すべく、孤独な闘いを挑むが……。

志水辰夫著
つばくろ越え
―蓬萊屋帳外控―
足に加えて腕も立つ。〝裏飛脚〟たちは今日も独り、道なき道をひた走る。痛快な活劇と胸を打つ人情。著者渾身の新シリーズ、開幕。

志水辰夫著
引かれ者でござい
—蓬莱屋帳外控—

影の飛脚たちは、密命を帯び、今日も諸国へと散ってゆく。疾走感ほとばしる活劇、胸に灯を点す人の情。これぞシミタツ、絶好調。

志水辰夫著
待ち伏せ街道
—蓬莱屋帳外控—

江戸留守居役奥方を西国へ逃がせ。禁制御法度、磔覚悟の逃避行がはじまる。智勇度胸を備えた影の飛脚、その奮闘を描く冒険活劇。

白川道著
流星たちの宴

時はバブル期。梨田は極秘情報を元に一か八かの仕手戦に出た……。危ない夢を追い求める男達を骨太に描くハードボイルド傑作長編。

白川道著
海は涸いていた

裏社会に生きる兄と天才的ヴァイオリニストの妹。そして孤児院時代の仲間たち——。男は愛する者たちを守るため、最後の賭に出た。

篠田節子著
仮想儀礼（上・下）
柴田錬三郎賞受賞

金儲け目的で創設されたインチキ教団。金と信者を集めて膨れ上がり、カルト化して暴走する——。現代のモンスター「宗教」の虚実。

篠田節子著
沈黙の画布

無名のまま亡くなった天才画家。すぐれた作品を贋作と決めつける未亡人。暗躍する画商。謎が謎をよぶ、迫力のミステリー。

重松清著
見張り塔からずっと
3組の夫婦、3つの苦悩の果てに光は射すのか？　現代という街で、道に迷った私たち。新・山本周五郎賞受賞作家の家族小説集。

重松清著
ナイフ
坪田譲治文学賞受賞
ある日突然、クラスメイト全員が敵になる。私たちは、そんな世界に生を受けた――。五つの家族は、いじめとのたたかいを開始する。

重松清著
ビタミンF
直木賞受賞
もう一度、がんばってみるか――。人生の〝中途半端〟な時期に差し掛かった人たちへ贈るエール。心に効くビタミンです。

朱川湊人著
かたみ歌
東京の下町、アカシア商店街ではちょっと不思議なことが起きる。昭和の時代が残したメロディが彩る、心暖まる7つの奇蹟の物語。

金城一紀著
対話篇
本当に愛する人ができたら、絶対にその人の手を離してはいけない――。対話を通して見出されてゆく真実の言葉の数々を描く中編集。

誉田哲也著
アクセス
ホラーサスペンス大賞特別賞受賞
誰かを勧誘すればネットが無料で使えるという「2mb.net」。この奇妙なプロバイダに登録した高校生たちを、奇怪な事件が次々襲う。

帚木蓬生著

閉鎖病棟

山本周五郎賞受賞

精神科病棟で発生した殺人事件。隠されたその動機とは。優しさに溢れた感動の結末――。現役精神科医が描く、病院内部の人間模様。

中村文則著

土の中の子供

芥川賞受賞

親から捨てられ、殴る蹴るの暴行を受け続けた少年。彼の脳裏には土に埋められた記憶が焼き付いていた。新世代の芥川賞受賞作！

中村文則著

遮光

野間文芸新人賞受賞

黒ビニールに包まれた謎の瓶。私は「恋人」と片時も離れたくはなかった。純愛か、狂気か？　芥川賞・大江賞受賞作家の衝撃の物語。

中村文則著

悪意の手記

いつまでもこの腕に絡みつく人を殺した感触。人はなぜ人を殺してはいけないのか。若き芥川賞・大江賞受賞作家が挑む衝撃の問題作。

東野圭吾著

鳥人計画

ジャンプ界のホープが殺された。ほどなく犯人は逮捕、一件落着かに思えたが、その事件の背後には驚くべき計画が隠されていた……。

東野圭吾著

超・殺人事件

―推理作家の苦悩―

推理小説界の舞台裏をブラックに描いた危ない小説8連発。意表を衝くトリック、冴え渡るギャグ、怖すぎる結末。激辛クール作品集。

山田太一著
異人たちとの夏
山本周五郎賞受賞

あの夏、たしかに私は出逢ったのだ。懐かしい父母との団欒、心安らぐ愛の暮らしに――。感動と戦慄の都会派ファンタジー長編。

山田詠美著
ひざまずいて足をお舐め

ストリップ小屋、SMクラブ……夜の世界をあっけらかんと遊泳しながら作家となった主人公ちかの世界を、本音で綴った虚構的自伝。

山田詠美著
色彩の息子

妄想、孤独、嫉妬、倒錯、再生……。金赤青紫白緑橙黄灰茶黒銀に偏光しながら、心のカンヴァスを妖しく彩る12色の短編タペストリー。

山田詠美著
ラビット病

ふわふわ柔らかいうさぎのように、いつもくっついているふたり。キュートなゆりちゃんといたいけなロバちゃんの熱き恋の行方は？

山田詠美著
放課後の音符《キイノート》

大人でも子供でもないもどかしい時間。まだ、恋の匂いにも揺れる17歳の日々――。放課後にはじまる、甘くせつない8編の恋愛物語。

S・キング
永井淳訳
キャリー

狂信的な母を持つ風変りな娘――周囲の残酷な悪意に対抗するキャリーの精神は、やがてバランスを崩して……。超心理学の恐怖小説。

P・オースター
柴田元幸訳
リヴァイアサン
全米各地の自由の女神を爆破したテロリストは、何に絶望し何を破壊したかったのか。そして彼が追い続けた怪物リヴァイアサンとは。

テリー・ケイ
兼武進訳
白い犬とワルツを
誠実に生きる老人を通して真実の愛の姿を美しく爽やかに描き、痛いほどの感動を与える大人の童話。あなたは白い犬が見えますか?

K・グリムウッド
杉山高之訳
リプレイ
世界幻想文学大賞受賞
ジェフは43歳で死んだ。気がつくと彼は18歳――人生をもう一度やり直せたら、という窮極の夢を実現した男の、意外な、意外な人生。

T・ハリス
高見浩訳
羊たちの沈黙
(上・下)
FBI訓練生クラリスは、連続女性誘拐殺人犯を特定すべく稀代の連続殺人犯レクター博士に助言を請う。歴史に輝く〝悪の金字塔〟。

T・ハリス
高見浩訳
ハンニバル
(上・下)
怪物は「沈黙」を破る……。血みどろの逃亡劇から7年。FBI特別捜査官となったクラリスとレクター博士の運命が凄絶に交錯する!

T・ハリス
高見浩訳
ハンニバル・ライジング
(上・下)
稀代の怪物はいかにして誕生したのか――。第二次大戦の東部戦線からフランスを舞台に展開する、若きハンニバルの壮絶な愛と復讐。

幻《まぼろ》世《よ》の祈《いの》り

家族狩り 第一部

新潮文庫　て-2-2

平成十六年二月一日発行
平成二十六年六月十日十二刷

著者　天《てん》童《どう》荒《あら》太《た》

発行者　佐藤隆信

発行所　株式会社 新潮社
郵便番号 一六二—八七一一
東京都新宿区矢来町七一
電話 編集部(〇三)三二六六—五四四〇
読者係(〇三)三二六六—五一一一
http://www.shinchosha.co.jp

価格はカバーに表示してあります。

乱丁・落丁本は、ご面倒ですが小社読者係宛ご送付ください。送料小社負担にてお取替えいたします。

印刷・二光印刷株式会社　製本・憲専堂製本株式会社

ISBN978-4-10-145712-3 C0193